GEORGES EEKHOUD

Collection Anthologique

des

PROSATEURS BELGES

publiée

sous la direction littéraire de

GUSTAVE CHARLIER

et

sous le patronage

de

L'ASSOCIATION
DES ECRIVAINS BELGES

GEORGES EEKHOUD

LES MEILLEURES PAGES

présentées

par

GUSTAVE VANWELKENHUYZEN
de l'Académie Royale
de Langue et de Littérature françaises

LA RENAISSANCE DU LIVRE
12, Place du Petit Sablon — Bruxelles

« Ayant le cœur plus grand, plus que les autres j'aime. »

Myrtes et Cyprès, 1877.

« Ma contrée de dilection n'existe pour aucun touriste et jamais guide ou médecin ne la recommandera. Cette certitude rassure ma ferveur égoïste et ombrageuse. Ma glèbe est fruste, plane, vouée aux brouillards... »

Ex-voto, 1884.

« Je ne trouve les gueux adorables que comme tels. Au fond, il n'y aurait même rien de plus orthodoxe et conformiste que mes apparentes subversions et hérésies. Je prêche la pauvreté loqueteuse comme la sanctifièrent le Christ et François d'Assise, comme la chanta Dante dans son *Purgatoire*, comme l'exalte même le païen Aristophane dans son *Plutus*... J'abhorre tout cataclysme qui nous vaudrait un changement de régime. Je trouve ces bourgeois, aussi horripilants qu'ils soient, nécessaires à mes besoins esthétiques, en ce sens qu'ils servent de repoussoir à mes délectables va-nu-pieds... »

L'Autre Vue, 1904.

« Mon rêve, c'est de confondre un monde dans mes caresses, de m'épancher dans toute la création, de me pâmer au cœur même d'un univers de beauté puissante et de grâce balsamique. »

Les Libertins d'Anvers, 1912.

PRÉFACE

1883. Dans une Belgique sortie depuis peu de son apathie littéraire, trois livres parus coup sur coup révélaient trois écrivains : c'étaient « Les Flamandes » d'Emile Verhaeren, « Le Scribe » d'Albert Giraud et « Kees Doorik » de Georges Eekhoud. Giraud et Verhaeren débutaient dans les lettres. A peine leur aîné, Eekhoud avait publié déjà trois recueils de vers. Pour la première fois il s'essayait au roman et, dès l'abord, s'imposait à l'attention par une œuvre vivante, colorée et d'un accent très personnel.

De dix ans plus âgé qu'Eekhoud, Camille Lemonnier avait montré la voie : délaissant le réalisme attendri de ses premiers récits, il avait, avec « Un Mâle » et « Le Mort » (1881), introduit dans le roman d'inspiration régionaliste les audaces et les âpres peintures des écrivains naturalistes français. Son admiration pour Daudet l'avait conduit de Dickens et de Champfleury, ses premiers maîtres, à Emile Zola.

En Belgique, comme en France, « L'Assommoir » avait fait grand bruit. A quelques années d'intervalle, « Nana » et « Pot-Bouille » (1882) avaient renouvelé les cris d'indignation des uns, d'admiration des autres.

Le naturalisme triomphait et, avec lui, la mode d'évoquer une vie plus sombre, plus brutale ou simplement plus banale qu'on ne l'avait osé jusqu'alors. La nouvelle école réagissait — et sans doute y faut-il voir une des raisons de son succès — contre le sentimentalisme et le romanesque de l'âge précédent.

Après les événements de 1830, les écrivains belges, animés du désir de créer une littérature de caractère national, s'étaient donné pour tâche de célébrer les fastes du passé. En prose et en vers, sur la scène comme dans le roman, on ne conçut d'autres sujets que ceux qui permettaient la résurrection des héros de notre histoire — celle du seizième siècle surtout. Le romantisme s'acheva et les glorieux exploits du passé cédèrent la place aux réalités du présent. On se mit à regarder le décor, les mœurs, les types contemporains. Chaque écrivain prétendit découvrir et exalter l'originalité de son terroir : autre manière de glorifier le pays et de sauvegarder le nationalisme des lettres. « Nous-mêmes ou périr », avait proclamé Lemonnier, qui ne fut pourtant pas le dernier à subir l'attrait des modes françaises. Il n'empêche que son mot d'ordre et, dans quelque mesure, son exemple furent suivis : le régionalisme littéraire, chez nous plus qu'ailleurs, fit longue carrière. Réaliste d'abord, naturaliste au temps d'Eekhoud et de Lemonnier, il se prolongea dans les œuvres assagies de leurs continuateurs : Krains, Stiernet, Virrès, Delattre, des Ombiaux, jusqu'à la veille de la première grande guerre et au-delà.

S'attacher au pittoresque d'une région et peindre l'homme dans ses rapports avec le sol, ce propos conduit à choisir comme héros des paysans et des hum-

bles. On s'était rappelé le conseil de Charles De Coster : « Voir le peuple, le peuple surtout ! La bourgeoisie est la même partout. »

Le peuple de Georges Eekhoud, ce fut, dès sa première œuvre, celui des « pacants » des rives basses de l'Escaut et de la plaine campinoise. Il a pu, par la suite, étendre à d'autres sa curiosité et sa sympathie généreuse. Autant qu'à sa terre de « dilection » elle-même, il est demeuré fidèle à ses habitants, ces êtres instinctifs et taciturnes auxquels leur éloignement des villes permit de garder longtemps leurs caractères propres et leur rusticité savoureuse.

*
* *

Evoquant ses souvenirs et devançant ainsi ses biographes, Eekhoud a indiqué les origines et les principales étapes de sa carrière. Témoignage précieux, certes, et sincère, encore que des influences et des faits aient été — comment s'en étonner ? — volontairement ou involontairement omis. Quant au portrait qu'il trace de lui-même, il est, peut-on dire, fidèle, sinon achevé.

Rappelons tout d'abord que l'écrivain est né en 1854 à Anvers, au cœur même de la métropole, à deux pas de la vieille cathédrale ; qu'il appartenait à un milieu de bourgeoisie fort aisé et que, Flamand par la naissance et l'ascendance, il reçut pourtant, comme un Verhaeren, un Maeterlinck, un Rodenbach, une éducation toute française. Celui qui s'était fait entretemps le défenseur et l'apologiste des va-nu-pieds et des réprouvés détaille non sans complaisance ses origines patriciennes. Amusante contradiction, mais pourquoi Eekhoud, être de sentiment bien plus que de raison, s'en soucierait-il ? De cette filiation, et malgré un abord parfois assez rogue, une humeur médiocrement accommodante, il gardera une distinction de manières, un raffinement du goût et de la sensibilité qui contrastaient, aux yeux de ceux qui connaissaient également l'homme et l'écrivain, avec la rugosité de ses héros préférés, les libertés voulues de ses peintures, l'audace de ses idées et les crudités de son style.

Une autre opposition mérite d'être signalée : épris de la langue et de la culture françaises, tôt lié avec de nombreux écrivains français et sans cesse attentif au mouvement littéraire de Paris, il ne s'en est pas moins intéressé aux lettres et au parler flamands. (Sa première œuvre en prose est une étude sur Henri Conscience, dont les livres avaient charmé son enfance). Il mettait quelque fierté, au surplus, à se reconnaître fils de cette race flamande par laquelle il se sentait proche des paysans de ses récits. Ceux-ci doivent sans doute aux affinités profondes qui rattachaient l'auteur à ses modèles de vivre si intensément sous sa plume.

L'apport ancestral — tout difficile et périlleux qu'il soit d'en fixer les limites — explique, croyons-nous, maints traits de son talent. Comme les grands peintres flamands du passé, Eekhoud manifeste une aptitude et un penchant particuliers à rendre la vie dans ses réalités les plus prosaïques et les plus triviales. Même il advient qu'au-delà de ces réalités longuement observées se découvrent à lui l'étrange, le difforme et le fantastique qui jadis obsédaient un Jérôme Bosch et un Breughel d'Enfer.

Les lignes, les formes et les couleurs — les couleurs surtout — retiennent ses regards. Il est, comme les artistes de sa race, de ceux pour qui le monde extérieur existe. A la richesse de leur palette correspond l'éclat de son style. A l'égal de maints autres écrivains d'origine flamande, Eekhoud sera moins un conteur qu'un habile et minutieux peintre littéraire. L'étude psychologique et les parties narratives importent moins dans l'économie de l'œuvre que l'élément descriptif. L'homme appartient à la terre et ne prend tout son sens que lorsqu'il est vu, replacé dans le paysage. Son geste et son galbe s'y inscrivent, son costume et ses coutumes achèvent le décor.

L'heure — remarquons-le — était favorable à une telle conception d'art. Loin de contrarier les tendances profondes d'Eekhoud, le naturalisme, dont il fut l'adepte, devait, par une fortuite concordance, lui permettre d'exprimer plus librement et plus entièrement son originalité propre.

***

La campagne anversoise s'était révélée au jeune Georges au cours d'une promenade faite en compagnie de son père, ce père tendre et souffrant qu'il devait perdre bientôt. L'écrivain a rappelé cette journée — bref instant ensoleillé dans sa vie recluse de collégien — dans « Ex-Voto », l'un des contes les plus émouvants de ses « Kermesses ». De cette heure lointaine — il avait alors onze ans — date son attachement à la terre natale. Deux amours ainsi se confondent par le souvenir : celui du fils pour son père, celui de l'homme pour son terroir. « Depuis lors, écrit-il, j'aime, j'adore la campagne flamande, comme l'héritage des suprêmes dilections d'un des seuls êtres qui ne me firent jamais de mal. Ces vastes horizons, à l'azur pâle, souvent brouillé, s'illuminent comme au sourire mouillé que je surpris la dernière fois sur son visage. »

Cette contrée, qu'il se prend à aimer d'un amour farouche et exclusif, est double, en réalité, par la nature de son sol, ses aspects, son atmosphère. Terres voisines, les Polders et la Campine présentent, en un curieux contraste, ceux-là leurs prairies grasses au long du large Escaut, celle-ci ses vastes étendues désertes et brumeuses où émergent çà et là le clocher d'un village ou le toit de glui d'une ferme isolée. Attiré, fasciné par l'un et l'autre paysage, l'écrivain ne pourra plus s'en déprendre. Il aimera se mêler aux autochtones, entendre leur parler rocailleux, connaître leurs mœurs patriarcales, exalter le pittoresque de leurs frairies, surprendre, dans la brusquerie d'un geste ou l'éclair d'un regard, la secrète violence de leurs passions. Assez tôt, par une sorte de défi ou d'exacerbation du culte patrial, il marquera sa préférence pour les sites les plus austères, les plus ingrats et les plus délaissés de cette terre. De même, se penchant sur ses habitants, il aimera scruter surtout l'âme des plus frustes et des plus déshérités. « J'exalte mon terroir, ma race et mon sang, déclare-t-il, jusque dans leurs ombres, leurs tares et leurs vices. » Par réaction contre son propre milieu, il devait pousser loin parfois son dédain du conformisme, l'indépendance volontairement provocante de ses curiosités et de ses goûts.

C'est Anvers ensuite, la cité et le port, que tout jeune homme, au temps des vacances, il visite et parcourt jusqu'en ses quartiers les plus excentriques et les plus mal famés. Armateurs, boursiers et hommes d'affaires, grosse bourgeoisie industrielle, ouvriers et maraudeurs, tous les mondes de la métropole l'intéressent, encore qu'il ne les observe pas tous du même regard bienveillant.

Un séjour de plusieurs années en Suisse, où l'oncle et tuteur de l'orphelin l'a envoyé étudier, affermit dans l'âme de l'exilé son amour de la Campine, enveloppe d'un halo nostalgique le souvenir qu'il en a gardé. Rentré en Belgique, il se croit un instant la vocation des armes. A l'Ecole Militaire, où il a pour répétiteur le modeste Charles De Coster, l'auteur de la « Légende d'Ulenspiegel », il s'aperçoit vite qu'il a fait fausse route. Il abandonne le sabre et l'uniforme, au grand dépit de son oncle, homme à principes, qui le fait émanciper et se désintéresse désormais de lui. Le voilà livré à lui-même, à la tête d'une petite fortune qu'avec l'aide de quelques joyeux compagnons il ne mettra pas longtemps à dissiper dans sa thébaïde campinoise de Cappellen.

Exclu d'une famille où dominaient le souci des convenances, la considération de l'argent et tous les préjugés de classe, le jeune Eekhoud sent naître en son cœur fougueux et révolté ces sentiments extrêmes d'amour et de haine qui devaient s'exprimer avec force dans son œuvre : amour des humbles, dont il exalte la vie rude et simple, les attitudes et les gestes pleins de beauté, les hardes colorées, les passions violentes et sincères ; haine des riches, des pourvus, des gens comme il faut — « qui sont, écrivit-il un jour, des gens comme il ne nous en faut pas » — ; haine de tous ceux qui écrasent ou narguent le pauvre et dont l'égoïsme, la vanité, l'hypocrisie, le luxe de mauvais goût rendent d'autant plus odieuse la tyrannie.

Le romancier a déclaré que Laurent Paridael, le héros de sa « Nouvelle Carthage », ne le représentait pas. On sait ce que valent habituellement pareilles affirmations. La part faite à l'invention, il apparaît que les aventures de son personnage adolescent rappellent les événements de sa propre vie ; que les goûts et les dégoûts de Laurent, suscités par d'identiques circonstances — l'incompréhension, l'hostilité du milieu avec lequel il va rompre — sont tout pareils aux siens. La bourgeoisie se révélant laide, veule et cupide, fermée à l'art, hostile à toute grandeur comme à toute noblesse de sentiment, il ne reste à l'artiste, à l'écrivain qu'à chercher refuge — en pensée tout au moins — auprès des êtres simples que la corruption des villes et les compromissions de la vie en société n'ont point atteints : les paysans et les gens du peuple, les incompris, les réprouvés, les hors-la-loi.

Qu'on se souvienne : ce temps est celui qui fait accueil aux revendications ouvrières et aux premiers programme de réforme sociale. De ce grand espoir des classes laborieuses, que le parti socialiste naissant encourage et soutient, l'écho retentit avec des accents très divers dans maintes œuvres de la production contemporaine, française et belge. Zola, répondant à ceux qui l'accusaient d'étaler les laideurs et les turpitudes, ne prétendait-il pas qu'il fallait débrider les plaies sociales avant que de songer à les guérir ?

En Belgique, Edmond Picard, ami de Verhaeren et d'Eekhoud, combattait la formule de « l'art pour l'art » des Parnassiens de la « Jeune Belgique » et lui opposait celle de l'art social. Bientôt aussi les romanciers russes, révélés par de Vogué, donneront un nouvel essor aux idées humanitaires en propageant la religion de la souffrance humaine.

Eekhoud, qui ne fut pas insensible à ces courants, alla d'instinct aux pauvres — lui-même s'en est expliqué — par une sorte de besoin nostalgique de retrouver ce naturel, cette franchise, cette simplicité primitive, dont, croyait-il, l'influence d'un milieu honni l'avait dépouillé. Mais le pauvre, de plus en plus il le vit tel qu'il le souhaitait, grandi, magnifié dans la déchéance, doté paradoxalement de l'attrait physique et des vertus dont le revêtaient son rêve d'artiste et ses goûts d'aristocrate.

Lorsqu'il arrive à Bruxelles, en 1881, le jeune Eekhoud a fini de jeter sa gourme. Ruiné, il lui faut songer à la matérielle. Il entre en qualité de rédacteur à l' « Etoile Belge ». Son sort est désormais fixé : il sera journaliste et le restera jusqu'à la fin de ses jours, complétant ses maigres ressources par le faible appoint de ses droits d'auteur et le produit d'obscurs travaux de librairie, grâce aussi, durant les dernières années, aux modiques appointements attachés à des fonctions de professeur de littérature. Nul n'eut une vie plus laborieuse, plus régulière et plus digne que ce défenseur des réfractaires ; nul ne donna l'exemple d'une conscience plus droite et plus fière ; nul enfin, dans l'adversité, ne fit preuve d'un courage plus discret, d'une patience plus égale.

Georges Eekhoud mourut à sa table de travail, en 1927.

Il laissait une œuvre de plus de trente volumes, où voisinent recueils de vers, romans et contes, traductions et adaptations d'œuvres étrangères, études de critiques littéraire et artistique. On ne peut oublier non plus les innombrables articles qu'il a donnés aux journaux et aux revues et dont beaucoup méritent d'être relus. Ensemble impressionnant, fruit d'une activité et d'un enthousiasme littéraires que ni les ans, ni les difficultés de l'existence, ni l'indifférence du public et des pouvoirs officiels n'avaient réussi à décourager.

***

Dans les trois volumes de vers, qui sont les premiers livres d'Eekhoud, apparaissent déjà les principaux thèmes de son œuvre à venir, traités dans le mode lyrique qui demeurera celui du prosateur : évocation pittoresque et attendrie d'Anvers et de la plaine campinoise, exaltation de la force et de la sauvage beauté des travailleurs et des rustres, plaidoyer en faveur des incompris et des opprimés, diatribe contre une société égoïste et marâtre.

Si son admiration pour Henri Conscience l'a, dès lors, aiguillé vers l'observation réaliste des mœurs et des types du terroir, il discerne déjà, sans oser l'avouer dans l'étude qu'il lui consacre (1881), ce que les idylles de l'écrivain flamand et ses personnages ont de conventionnel, d'étriqué et d'un peu terne. Les classiques allemands et anglais expliqués au collège, la découverte de Balzac et de Flaubert, la lecture plus récente de Zola, de Cladel, des frères de Goncourt, la fréquentation des écrivains de la « Jeune Belgique », adeptes, la plupart, du naturalisme français, la leçon enfin de son aîné, Camille Lemonnier, tant d'exemples, tant d'influences n'ont pas manqué de lui révéler les règles d'un art plus exigeant, les aspects d'une vérité plus complexe, plus profonde et plus humaine. Il a pris conscience de ses moyens et reconnu sa voie.

Dans « Kees Doorik » (1883), son premier roman, s'affirme, en même temps qu'un métier déjà sûr, une observation réaliste et colorée de la vie. L'évocation précise du cadre, la terre du Polder, importe ici autant que l'action. Le héros, cher à l'auteur, est un jeune paysan, enfant trouvé, de qui l'amour bafoué fait un assassin. Généreux et bon, le pauvre Kees, que blesse et indigne la dureté de ses semblables, apparaît comme le type même du paria, marqué depuis sa naissance par un destin tragique.

Le naturalisme a dès maintenant séduit l'écrivain, encore qu'à l'exemple de Lemonnier il ne l'accueille pas sans réserve. Influence du milieu et de l'hérédité, peinture audacieuse des mœurs, hantise du rapport des sexes, crudité du style : quoique adaptés à son humeur et à ses goûts, les idées et les caractères de l'école de Médan se reconnaissent dans ce roman, comme dans beaucoup d'œuvres françaises et belges du temps.

La trace en sera plus marquée encore dans les « Kermesses », ce premier recueil de contes, où semble se débonder en une gigantesque orgie la pléthorique santé du paysan flamand. Mais évoquées à la manière de Jordaens ou de Rubens, ces scènes populaires, hautes en couleur, de la vie des Polders, s'assombrissent soudain comme un paysage sur lequel un ciel orageux jette son ombre fuligineuse : d'un réalisme violent, le récit se dénoue par la mort tragique du héros sur qui n'a cessé de peser, de plus en plus précise, la menace d'une inexorable fatalité.

Dans « Les Milices de Saint-François » (1886), comme, à dix ans d'intervalle, dans « Escal Vigor », Eekhoud sacrifie plus délibérément au goût de l'époque. Tout en exaltant des amours illégitimes ou singulières, il tente, dans une trame assez factice, de vérifier les théories les plus contestables du zolisme. Mais, en dépit des invraisemblances, les personnages pris à la réalité, une réalité revue et idéalisée, vivent intensément. De même s'animent et se colorent en leur diversité les épisodes de l'existence rurale passionnément observée.

A la manière de l'œuvre de Zola, « Le Ventre de Paris », qui lui est antérieure, « La Nouvelle Carthage » (1888) se présente comme le roman d'une ville plus encore que comme l'histoire d'un personnage. Cette ville, Anvers, rappelle à l'auteur la puissance orgueilleuse, redoutable et pourtant branlante de l'ancienne cité punique, « sa licence, son opulence criarde, sa haine du pauvre, sa peur des mercenaires ». Quant au héros, l'inquiet et généreux Laurent Paridael, il hait la bourgeoisie riche et corrompue à laquelle il appartient autant qu'il aime les ouvriers de l'usine, les travailleurs et les rôdeurs du port. Son amour malheureux pour la fière Gina, sa cousine, au bonheur de laquelle il finira par sacrifier sa vie manquée, l'éloigne davantage encore de son milieu, exacerbe l'attachement qu'il voue aux opprimés.

Le récit de ses aventures à maintes reprises s'interrompt pour faire place aux descriptions larges, animées, parfois émouvantes, des scènes de la cité commerçante : le lancement d'un navire, l'agitation de la bourse, l'activité des entrepôts, le départ des émigrants, l'explosion d'une cartoucherie. Si certains événements rappellent des faits contemporains, à peine transformés, les principaux personnages, eux aussi, sont trop vrais, trop vivants pour n'avoir pas réellement existé.

Maintes pages sont d'un écrivain de l'école de Zola, friand de réalités brutales, de couleurs crues et d'odeurs fortes. Mais que devient, dira-t-on, l'impassibilité prônée, sinon observée par le maître de Médan, quand l'écrivain flagelle l'arrogance et la corruption de la bourgeoisie, qu'il exprime en lyriques épanchements son amour des humbles et des déclassés ?

Deux livres, réalistes encore dans l'évocation des scènes, et dont d'anciennes chroniques ont fourni les sujets, ne doivent rien non plus à l'objectivité scientifique avec laquelle Flaubert a établi dans « Salammbô » le modèle du naturalisme historique. Dans « Les Fusillés de Malines » (1891), comme dans « Les Libertins d'Anvers » (1912), Eekhoud, en effet, plaide la cause des héros dont il rapporte sur le ton épique les faits d'armes ou les douloureuses aventures.

En rapport avec ses goûts et ses lectures, d'autres travaux, plus proches ceux-ci de l'érudition, occupent encore l'écrivain. Le triomphe de l'instinct, le déchaînement des appétits, le dérèglement des mœurs dans un monde où la licence lâche la bride aux passions, ces aspects violemment colorés et intensément expressifs de la vie tels que son rêve d'artiste les lui a fait entrevoir, il se plaît à les retrouver « au Siècle de Shakespeare », parmi ces renaissants anglais dont il traduit ou adapte quelques œuvres.

Les « Dernières Kermesses » d'Eekhoud, tout comme ses derniers romans : « Le Terroir Incarné », « Magrice en Flandre », et son recueil posthume des

« Proses plastiques », s'ils relèvent d'une inspiration généralement plus apaisée, n'en attestent pas moins sa fidélité à la terre campinoise, son inaltérable amour des pauvres et des réprouvés, dont il conte encore les pénibles ou tragiques aventures. Pages réalistes — — réalistes par le sujet ou, à tout le moins, par le choix des détails — mais lyriques aussi, toutes vibrantes d'émotion, toutes frémissantes de vie, tantôt marquées par l'âpre accent de la satire, tantôt comme traversées par un souffle orageux d'épopée.

***

Le roman régionaliste, dont Georges Eekhoud fut, avec Camille Lemonnier, le principal représentant, ne jouit plus aujourd'hui de la faveur presque exclusive qu'il connut en Belgique entre les années 1880 et 1900. On lui a reproché, non sans raison parfois, sa recherche excessive d'un pittoresque strictement local, son action trop statique, voire l'absence d'action, son manque de psychologie et d'intérêt humain. Ces défauts, on les chercherait en vain dans l'œuvre d'Eekhoud, trop personnelle et trop sincère pour avoir été conçue selon les recettes passagères d'un genre, capable, au surplus — on l'a vu depuis — de se renouveler.

Le naturalisme, en revanche, influença l'écrivain dès ses débuts, mais grâce à une fortuite concordance, l'esthétique et les procédés à la mode, loin de contrarier ses tendances propres, l'aidèrent à les exprimer et à fixer dans une forme qu'il adoptait sans contrainte les aspects les plus hardis de sa pensée.

La marque de l'époque apparaît encore chez Eekhoud dans certain goût pour le vocable rare et le néologisme. Bien d'autres, à l'exemple de Lemonnier, abusèrent des mots nouveaux. L'écriture artiste de Goncourt, le style flamboyant d'un Cladel devaient immanquablement séduire de jeunes écrivains préoccupés non sans raison de se forger une langue littéraire. Mais si cette langue, chez l'auteur des « Kermesses », trahit parfois l'effort et sent la recherche, elle possède, chez l'écrivain devenu maître de sa plume, une force expressive et un pouvoir d'évocation singuliers. Le rythme lourd et heurté du parler flamand, ses sons rocailleux s'y entendent, comme dans le vers de Verhaeren. Cette rudesse, à laquelle le style d'Eekhoud doit pour une part sa saveur, ne l'empêche pas d'être nuancé, raffiné, sensible, propre plus particulièrement à rendre la couleur, les formes et le mouvement.

L'unité de l'œuvre, sa densité, sa valeur humaine et son pathétique tiennent à la sincérité de l'écrivain, à la constance et à l'intégrité de ses dilections. Au souci d'art aussi dont il ne cessa de témoigner. Eekhoud ne traita d'autres thèmes, n'anima d'autres héros que ceux qu'il s'était dès l'abord choisis. Depuis les essais poétiques de ses années d'apprentissage jusqu'aux derniers écrits, il n'a pas dévié. Même si d'autres sites, d'autres personnages, frères au surplus des premiers, ont un instant requis son attention, éveillé sa pitié, la plupart de ses livres ont exprimé l'amour nostalgique que le Poldérien exilé à Bruxelles a éprouvé pour sa terre, l'esprit de révolte et l'appétit de déchéance dont son adolescence incomprise déjà s'était grisée.

Réaliste et bientôt rallié au naturalisme, il ne s'est pas contenté d'évoquer le monde extérieur et l'appa-

rence des choses : s'il s'attarde volontiers à la contemplation des paysages ou dessine complaisamment le galbe d'un rustre ou la tournure d'une fille, il sait tout aussi bien déceler les secrets composants d'une ambiance ou les forces mystérieuses qui couvent au fond de l'être et commandent son destin.

Romancier régionaliste, certes, l'auteur des « Kermesses » et de « La Nouvelle Carthage » mérite d'être ainsi appelé. Mais par delà la contrée, par delà l'aborigène qu'il décrit, un plus vaste horizon, des personnages moins particuliers aisément se découvrent. Etres de chair et de nerfs, ses héros aiment et souffrent comme des hommes de tous les pays et de tous les temps.

LES
MEILLEURES PAGES

L'EMBAUCHAGE

Dans le parloir sombre, sentant le remugle, meublé de six chaises de crin et de la table d'acajou, dans le parloir claustral avec son regard d'un Christ et d'une Vierge et le grand crucifix d'ivoire et d'ébène, planté sur la vieille cheminée espagnole comme sur un calvaire, l'enfant condamné par le médecin de l'orphelinat avait été mis un matin en présence du paysan.

Il arrive que le bureau de bienfaisance urbain envoie à la campagne, comme valets à demeure ou apprentis agricoles, les enfants que les hospices ne peuvent tenir. Les villageois chez qui sont placés ces pauvrets ont droit aux services gratuits de leurs pupilles, que le bureau continue de défrayer.

Nelis Cramp était trop avisé pour ne pas saisir les avantages que cette combinaison de la charité officielle rapporte au rural besogneux ou avare. Nelis appartenait à l'espèce des ladres et s'il ne profita pas à l'origine de ce moyen de thésaurisation, c'est qu'un vague scrupule d'amour-propre le retenait encore.

Que dirait-on dans ce village de Dinghelaar envieux et bavard si Nelis Cramp, le gros terrien de la Ferme-Blanche, renonçait aux honnêtes services d'un fort garçon du pays pour exploiter les bras débiles d'un paupérien de la ville ? Quelles clabauderies ! Quelle réprobation !

Cependant, après avoir essayé tous les parias et tous les rafalés de la région qui le quittaient plus faméliques qu'à leur entrée, à moins que lui-même ne les chassât, trouvant encore le mauvais liard et la croûte dure trop larges pour leurs labeurs — il résolut, dût sa lésine lui coûter son dernier prestige au pays, d'embaucher un de ces orphelins rebutés.

Non seulement Nélis l'outrerait comme un adulte, mais il mettrait en poche la pension servie par ces excellents philanthropes de la cité.

— Voici le petiot ! avait dit le directeur en poussant Kees entre les jambes du grigou.

— Peuh ! Un objet fragile ! grommela Nelis, tournant et retournant l'enfant, tâtant ses bras et ses cuisses, le manipulant comme une volaille.

— La campagne le radoubera, la carène tient encore ! plaidait le directeur, qui avait été capitaine de navire.

— A moins que la fièvre du polder ne l'achève ! ricana *Baes* Cramp. Et qui paiera dans ce cas la caisse et l'eau bénite ? ajouta-t-il. Vous savez, *Mynheer*(1), nous avons déjà hébergé pas mal de ces oiseaux-là ! A peine installés, couïc, plus rien... Pas même de quoi les rendre à leur dernier logis... Demandez plutôt à Lamme Stevens... Il vous racontera la farce qui lui est arrivée...

— Vous vous trompez, Lamme fut indemnisé...

— Possible ! Mais je ne crois pas. Moi, je prendrais mes précautions ; j'exigerais une somme en garantie... Et surtout si je m'embarrassais de cet agneau-là !

Et l'impitoyable pacant fouillait de plus belle les pectoraux lamentables de l'oiselet déprécié et marchandé.

Celui-ci se prêtait docilement à cette auscultation et

---

(1) *Mynheer*, monsieur.

fixait sur le rustre de grands yeux noirs, fiévreux, pleins de mélancolie.

Au fait, les hésitations du prévoyant Nelis ne manquaient pas de raison. C'était un triste bout d'homme que maître Kees.

On l'avait trouvé dans la rue le jour de la Sainte-Corneille. De là son nom de Kees (1). Il devait à son apparence faiblote son autre nom, celui qui lui tenait lieu de nom de famille : Doorik, corruption de *Dooden rik* ou *Doeijen rik,* ce qui signifie Henri-le-Mort ou la camarde en patois anversois.

Le directeur initiait Nelis à ces particularités que le matois écoutait, l'air distrait, continuant à palper de ses doigts noueux la denrée vivante.

Kees revit souvent, par les yeux du souvenir, Nelis Cramp, tel qu'il était ce jour mémorable, âgé de cinquante-cinq ans, poussif et ragot, brèche-dents, bilieux, ratatiné comme une nèfle, les yeux chassieux, la lippe sardonique, le nez écaché. Des mèches poivre et sel, poisseuses, collaient à ses tempes, et à ses oreilles velues, écartées de la tête, pendaient des anneaux d'argent, un préservatif pour la vue.

Il cessait de se récrier sur la pauvre mine de l'orphelin pour tirer des bouffées d'une courte pipe de terre, noire et juteuse, coiffée d'un couvercle de filigrane de cuivre retenu au tuyau par une chaînette, ou pour envoyer dans le crachoir des flegmes érugineux. Une taroupe joignait ses sourcils frustes sous lesquels ses prunelles grises semblaient dormir ainsi que des flaques stagnantes entre les oseraies.

Cependant, le directeur le pressait.

— Il sait déjà lire ! Il est doux comme un petit

---

(1) *Kees,* diminutif de Cornélis, Corneille.

mouton et soumis comme un chien.. Allons, combien me donnez-vous du mousse ?

Les qualités morales de Kees laissaient le positif rural assez froid. Il apprit avec un intérêt plus visible le faible appétit du sujet. Et à partir de cette révélation, on put aborder la question d'indemnité.

Le citadin, familiarisé de longue date avec ces maquignonnages, ne s'impatientait pas et défendait le terrain point par point.

— Ce sera dix *stuyvers* (1) par jour, disait Nélis.

— Cinq, *Baes ;* cinq, mon ami... Soyons raisonnables...

— Dix ! Ou je ne suis plus votre homme.

Le directeur se rendait et passait à d'autres articles.

Nelis Cramp poursuivi par son lugubre pronostic exigeait encore un papier signé du directeur et stipulant qu'en cas de mort du valet de ferme les frais d'inhumation incomberaient à l'Hospice.

— Tope !

Les deux compères se tapèrent dans la main comme font les marchands de bestiaux pour conclure un marché, et sur un signe du vendeur, Kees courut chercher son trousseau préparé de la veille.

Lorsqu'il rentra, il avait dépouillé l'uniforme à la militaire de la maison pour endosser un costume improvisé de villageois : le pantalon de ce gros velours brun à côte appelé *dimitte* dans les Flandres, la blouse bleue, les sabots, la casquette de soie haute et bouffante. Et, après une exhortation, que l'ex-capitaine s'efforça de rendre paternelle, consacrée spécialement à l'éloge de la société si bonne à ses déshérités, le fermier prit possession de sa recrue.

---

(1) *Stuyver,* valeur d'un sou.

La grande porte monastique livra passage à l'enfant et à son nouveau tuteur. Ils marchèrent, la menotte du petit dans la pince du pandour.

Nelis faisait de larges enjambées, une main appuyée sur son rondin de néflier, et Kees, peu familiarisé avec les chaussures de bois, trottinait, clopinait. Le vieux ne desserrait les dents que pour le talonner par un juron péremptoire.

C'était jour de marché. Le pavé de la Grand'Place livré aux maraîchers disparaissait sous les tréteaux et les éventaires de légumes bigarrés exhalant, au soleil de juin, ces parfums rafraîchissants des herbes arrachées nouvellement à la terre. Des contadines hommasses, hautes en couleur, le visage emprisonné dans leurs profonds chapeaux cylindriques — les brides et les bavolets claquant à la brise — attiraient les bourgeoises à grand renfort de chatteries, quitte à invectiver la pratique trop regardante. C'étaient des « Bonjour, ma gentille petite dame » alternant avec des « Hé, va-t'en, marchande de tracas! On te fera cadeau de ces choux, pour sûr... Eh, n'oublie pas de me donner ton adresse ; que je te les envoie. »

Des charrettes à deux roues, peintes en vert, bâchées de toile blanche, stationnaient le long des trottoirs devant les estaminets. Les hennissements des roussins se mêlaient aux criailleries des verdurières et aux jappements des chiens de trait.

Les campagnards s'accostaient et s'allongeaient des tapes amicales ; et l'on voyait des dos ronds s'enfoncer sous les porches des maisons historiques de la Place, converties en brasseries. Du dehors, par les fenêtres ouvertes, on entendait les buveurs supputer bruyamment le produit du marché.

Kees n'avait jamais assisté à pareil spectacle.

A la remorque de son maître, il fendait tant bien que mal cette cohue de gaillards brusques et pattus dont les lourds sabots menaçaient de pulvériser les siens. A tout instant, entraîné par le *Baes*, il bousculait les étalages, écrasait une carotte, chiffonnait une laitue et s'attirait une bordée d'imprécations de la part des légumières irascibles.

En passant, Nelis Cramp distribuait des bonjours ennuyés et se dérobait aux invitations à boire des bons vivants de son village. Dans une ruelle, derrière l'hôtel de ville, il s'approcha d'une carriole peinte et bâchée comme les autres et avisa le palefrenier d'hôtellerie à qui, non sans rechigner, il paya un kapper ou la mesure d'un quart de litre de bière. Lui-même se fendit d'un autre kapper et il eut la générosité d'y laisser sucer le jeune Kees.

Alors, Nelis, aidé par le garçon, se mit en devoir d'atteler son porte-choux à la carriole .

Cette opération terminée, Nelis prit la longe et le fouet, fit asseoir Kees sur la banquette, à côté de lui, puis clic, clac ! la voiture roula par les quartiers marchands de la ville.

On s'arrêtait devant les bureaux de négoce ménagés au rez-de-chaussée d'hôtels séculaires, — anciens patrimoines de nobles déchus — aux façades salies, aux carreaux dépolis.

Par la porte cochère, arborant sur une plaque de cuivre le nom d'une firme renommée, le paysan pénétrait délibérément, confiant à Kees la garde de l'équipage. C'est que Nelis Cramp, cultivateur et blatier, se recommandait aux marchands de grains, en vue de la récolte prochaine. Ah ! devait-il les circonvenir ces roués spéculateurs anversois, lui, simple trafiquant du Polder ! Il fallait voir l'air radieux et moqueur du peinard lorsqu'il sortait de ces imposants « comptoirs », la façon dont il frottait ses mains loupeuses.

Il en devenait presque bienveillant pour le déshérité placé sous sa férule :

— Allons, petit ; courage ! disait-il, en se hissant sur le siège... Nous tâcherons de te gagner une croûte de pain aujourd'hui. Ce sont encore les *Signors* (1) qui paieront ton souper !

La matinée, midi, plusieurs heures s'écoulèrent ainsi.

L'après-dîner était déjà fort avancée quand, après une dernière station, la carriole s'engagea dans le quartier maritime aussi rapidement que le permettait l'encombrement des camions et des fardiers.

De fortes odeurs de choses de la mer, de frais de moule et de varech, des relents vireux, des émanations résineuses, des puanteurs de peaux de bête et de guano se perdaient dans l'air salin soufflé par l'Escaut.

Des bassins émergeaient, en rangs serrés comme les fûts d'une forêt vierge, des centaines de mâts avec leurs feuillages de voiles et leurs floraisons de pavillons multicolores, où perchent les mouettes.

On approcha des remparts, on enfila une poterne de l'enceinte fortifiée de la ville, on traversa des ponts jetés sur les fossés de défense et sur le canal de la Campine, la voie des chalands noirs et plats venant des pays wallons ; on passa entre deux rangées de maisons blanches et basses, devant une église avenante, celle du faubourg de Merxem.

---

(1) *Signor,* de *Senor,* monsieur, seigneur en espagnol. Les paysans des environs d'Anvers désignent par ce sobriquet les habitants de la ville.

Enfin, la voiture roula en pleine campagne.

Pas un détail de ce voyage, durant une journée ensoleillée de juin, n'avait pâli dans la mémoire de Kees.

Il se représenta souvent la longue chaussée de Berg-op-Zoom, bordée de hêtres feuillus, où les moindres souffles bruissaient, semblaient se pourchasser de branche en branche comme une bande d'oiseaux espiègles.

. . . .

Dans la griserie de son cerveau, alourdi tout ensemble et par la fatigue et par le printemps, Kees ne prêtait qu'une oreille distraite aux instructions que Nelis Cramp croyait devoir lui donner à l'avance. Le vieux ladre ne peignait pas sous des couleurs engageantes la vie d'un valet de ferme. Mais qu'importait à Kees ? Désormais, rien ne le rebuterait. Cette première rencontre avec le plein air décidait de sa vocation. Il l'aimait sans la connaître rien qu'à voir le lit où elle s'écoule, cette existence des champs :

Il serait paysan.

LA FÊTE
DES SS. PIERRE ET PAUL

I

A ma bien-aimée Anna Cornélie.

Au pays campinois, le 29 juin, jour des SS. Pierre et Paul, les contrats entre maîtres et valets sont abrogés ; les uns recouvrent la liberté de remplacer leurs serviteurs, les autres, de changer de patrons.

Cette séparation ne s'opère point à l'improviste.

A la fin de mars, le fermier et la fermière ont posé cette question, lui à ses hommes, elle à ses femmes : « Nous restez-vous ? ».

Suivant la réponse de leurs gens, les chefs les engagent pour une autre année ou avisent à leur remplacement. D'ordinaire le *baes* accorde au sujet actif et entendu la grosse paie que celui-ci gagnerait chez le voisin et pour peu qu'elle tienne à sa servante, la *baezine* lui assure un plus haut gage, tant en numéraire qu'en aunes de grosse et de fine toiles, filées aux veillées d'hiver.

Quant aux aides à demeure, que les maîtres n'interrogent pas sur leurs intentions, ils sont avertis par ce silence même d'avoir à se pourvoir ailleurs. Tel garçon ou telle fille de ferme, dont le caractère ne subira aucune atteinte s'ils quittent leur service à la Saint-Pierre, seraient fort mal notés si leur patron ne leur avait point permis d'attendre la date traditionnelle pour faire leurs paquets.

Ces mutations générales de domestiques servent chaque année de prétexte à l'une de ces fêtes si topiques, presque païennes, que n'oublient jamais ceux qui y ont assisté.

Pour ma part, l'été, à l'approche de la Saint-Pierre, je me sens pris, où que je sois, d'un désir effréné de retourner au pays. Il suffit de l'odeur des seringats et des sureaux pour me représenter le cadre et les acteurs de ces pompes rustiques. Mais cette évocation irrite ma fièvre au lieu de la calmer et je ne trouve de soulagement qu'après avoir été respirer quelques bouffées de l'air natal.

Un beau soleil active les fragrances des haies et des bosquets. La caille, blottie dans les blés, piaule sensuellement. Personne ne travaille aux champs. Dans leur empressement à prendre du plaisir, les hommes ont abandonné, çà et là, la faux et la serpe. Si les cultures sont désertes, par contre, le long des routes vicinales, c'est une procession de voitures maraîchères bâchées de blanc, chargées non point, comme les vendredis, de légumes et de laitage, mais peintes à neuf, tapissées de fleurs, les cerceaux tressés de rubans, menées grand train par des chefs d'attelage endimanchés, ébaudis et fanfarons, et au fond desquelles se trémoussent des dirnes non moins réjouies et parées de leurs plus coquets atours.

Ce sont des valets qui ont été chercher le matin, en cérémonie, les servantes à leur ancienne résidence pour les conduire chez leurs nouveaux maîtres et comme les gars ne doivent être rendus à destination que le soir, ils profiteront de la longue journée estivale pour lier connaissance avec leurs futures compagnes de charrue et d'étable.

Souvent les journaliers d'une même paroisse, les salariés de petits paysans, empruntent un char à foin à un gros fermier et se cotisent pour la location de l'attelage. Toute la coterie, batteurs en grange, vanneurs, aoûterons, vachères, faneuses, prennent place sur ce chariot transformé en un verger ambulant, où les faces rouges et joufflues éclatent dans les branches comme de rondes pommes luisantes.

L'émouchette caparaçonne les forts chevaux, car les taons font rage le long des chênaies ; seulement les mailles du filet disparaissent sous les boutons d'or, les marguerites et les roses.

Des cavalcades se forment. Les voitures se rendant aux mêmes villages ou revenus des mêmes clochers, cahotent à la file, trimbalent de compagnie leur nouvelle légion de servantes.

Défilé éblouissant et tapageur ; apothéose des œuvres de la glèbe par ses affiliés. Sur leur passage l'air vibre de parfum, de lumière et de musique.

Bouviers et garçons de charrue, le sarrau festonné d'un ruban écarlate, la casquette ceinte d'un rameau feuillu, une branche pour aiguillon, précèdent le cortège en manière de piqueurs, ou caracolent sur les accotements ; d'aucuns affourchés à la genette, les jambes très écartées, tant leurs montures ont le dos large ; d'autres assis en travers de la selle, les jambes ballant du côté du montoir, comme on les rencontre au crépuscule, par les chemins, après le labeur.

Leurs voix éclatantes se répercutent d'un village à l'autre.

« Voilà encore un *rozenland* ! un « pays de roses ! » disent les gamins que leur approche ameute près de l'église. Car on a dénommé « pays de roses » ces chars de joie, à cause du refrain de la ballade que les compagnons ne chantent que ce jour-là :

> Nous irons au pays des roses,
> Au pays des roses d'un jour !
> Nous faucherons comme foin les fleurs trop belles
> Et en tresserons des meules si hautes et si odorantes,
> Qu'elles éborgneront la lune
> Et feront éternuer le soleil !

Des sarabandes se nouent à la porte des cabarets. Les « pays de roses » envahissent la salle en vacarmant comme un sabbat.

A chaque étape, on emplit de bière et de sucre un énorme arrosoir et, après en avoir détaché la gerbe, on le fait circuler à la ronde, de couple en couple. La fille, aidée par son galant, trempe la première les lèvres au breuvage, puis, d'un geste retrouvé des temps druidiques, elle se cambre ; son bras nu, presque aussi robuste que celui des mâles de la bande, saisit l'anse de l'original vaisseau, le brandit, le soulève au-dessus de sa tête, puis l'incline vers son cavalier. Un genou en terre, le soiffard embouche le tuyau du réservoir et pompe sans relâche avec des mines béates de chrétien qui reçoit son Dieu.

Les coteries se sont fait accompagner d'un ménétrier ou d'un joueur d'orgue ; mais, indifférents à la mélodie et au rythme raclés ou moulus, c'est toujours la même sabotière que dansent les drilles, c'est le même chœur que braillent leurs voix psalmodiantes :

> Nous irons au pays des roses,
> Au pays des roses d'un jour !
> Nous faucherons comme foin les fleurs trop belles
> Et en tresserons des meules si hautes et si odorantes,

Qu'elles éborgneront la lune
Et feront éternuer le soleil !

Les serfs sont les seigneurs et les pauvres sont les riches ! Le salaire de toute une année sonne, contre leurs genoux, dans les poches profondes comme les semoirs.

Jour de frairie, jour de kermesse, révolutionnant les prêtres résignés de la terre ! Chaudes matinées qui font éclore les idylles ; soirs orageux, instigateurs de carnages !

Ce n'est pas sans raison que les gendarmes surveillent à distance les caravanes de « pays de roses ».

Ils sont pâles et tortillent nerveusement leur moustache, les gendarmes, car, vers le tard, à l'heure des réactions sournoises, les farouches et les jaloux leur en font voir de rouges. Ces bons drilles qui trinquent avec effusion sont prêts, pour un rien, à se jeter les pintes à la tête et à se déchiqueter comme des coqs. A force d'accoler son voisin, cet expansif compère a fini par le presser si étroitement contre sa poitrine qu'il l'a terrassé et un peu meurtri.

Tous ces festoyeurs ne s'ébaudissent pas, mais tous s'étourdissent. Ils noient leur souci dans la bière et l'étouffent dans le tapage. Ils boivent, les uns pour oublier, peut-être pour calmer le regret du toit et des visages familiers qu'ils délaissent ; les autres, au contraire, pour célébrer leur affranchissement du joug ancien et saluer, pleins de confiance, le foyer nouveau.

. . . .

Comme le voyage est long et la journée pleine, vers le midi, on arrête devant la principale *herberge* de la bourgade et l'on dételle. Les blousiers s'abattent sur les bancs de la grande salle devant les platées fumantes. Mais, malgré leurs fringales et l'ivresse de leur émancipation qui se traduit le jour durant par des défis d'une crudité féroce envoyés à Dieu, à ses saints et à sa Vierge, ils n'omettront pas, entre deux signes de croix, de rapprocher quelques secondes leurs larges mains calleuses.

Après la ventrée, lorsque repus et trop paresseux pour retirer de sitôt leurs gros poteaux de dessous la table, les gars allument leurs pipes et ruminent silencieusement ; souvent, sur l'invitation d'une commère, l'un ou l'autre ancien berce la torpeur des digestions par quelques souvenirs des féries d'autrefois.

BON POUR LE SERVICE! (1)

A Fernand Brouez.

Pauvre Barbel Goor !...

Il est parti, Frans, son brave garçon, la prunelle de ses yeux, le battement même de son cœur ; — parti depuis huit jours pour la garnison, — loin du village, loin du pays ! — perdu, transporté, là-bas, dans la toute grande ville !...

Elle ne peut se faire à cette réalité, la simple femme, et, levée la première, chaque matin elle grimpe, comme par le passé, à la mansarde où couchait son garçon. Elle ne se convainc de la séparation qu'en palpant le lit défait depuis l'oreiller jusqu'au pied et en cherchant vainement, sous la couverture, ce bras musclé qu'elle secouait, mais pas trop fort, de crainte de faire mal — je vous le demande un peu ! — à ce gaillard solide comme du chêne. Ah la bénigne créature du Bon Dieu !

— Bonjour, mère !

Qu'est devenue cette voix du gaillard tant aimé !

Comme il tarde à s'étirer, à lui jeter les bras autour du cou !

Cependant sa défroque d'ouvrier charpentier, sa veste et ses bragues de velours tramé, sa serpillière de toile grise, sa casquette molle s'écroulent sur la chaise,

---

(1) Le récit date du temps du tirage au sort. Parmi les conscrits, seuls les pauvres, qui ne pouvaient se payer un remplaçant, faisaient leur service militaire.

près du chevet, comme s'il venait de les dépouiller. Mais le parfum de résine et d'encaustique, dont ces nippes étaient imprégnées, s'est éventé un peu plus depuis la nuit dernière ; mais les plis contractés à la charnure saillante et aux coups de rein du travailleur vont s'effacer ; et le jour approche où la sainte idolâtre, qui hume ces frusques comme un encens et les baise comme des reliques, n'y retrouvera plus trace du cher absent.

Après une prostration, elle se décide enfin à descendre.

Elle allume le feu, moud le café. Bientôt l'eau chante dans la bouilloire. Aux sons de cette musique du foyer et aux aromes avifiants du café, l'illusion revient la leurrer :

Voilà qu'elle verse l'eau bouillante comme s'il devait avoir sa part du breuvage. Elle coupe les tartines, dont trois grosses, destinées à Frans, qu'elle empile à côté de sa jatte. Elle emplira même la gourde de fer-blanc qu'il emporte d'ordinaire, passée en sautoir, au chantier. Puis, elle attend, l'oreille allant à la rencontre du remue-ménage habituel. Rien. La maisonnée continue de dormir au-dessus de sa tête. Et à la fin le deuil de l'escalier devient si absolu qu'il la fait sursauter comme au fracas d'une explosion.

— Pauvre moi ! Où donc voyageaient, encore une fois, mes idées ? N'est-il point parti... Och Frans ! Frans !

La gourde s'échappe de ses doigts. Elle s'affale sur sa chaise et seule au bord de l'âtre, des larmes roulent, le long de ses joues parcheminées, dans sa tasse.

. . . .

* * *

Elle n'avait rien négligé pourtant afin de se rendre propices Dieu et ses saints le jour du tirage au sort. L'année d'avant à la Pentecôte, elle avait accompagné, avec son Frans, la « procession » de leur village à Montaigu. Plus tard, à l'approche du jour fatal, elle fit une neuvaine à Saint-Gommaire de Lierre. Le matin de la grave opération, lorsqu'il se rendit, fiévreux et pâlot à l'école communale, elle lui avait passé un scapulaire au cou, un chapelet bénit à l'avant-bras droit, et logé dans les poches de son sarrau et de sa culotte tout un arsenal d'amulettes : un champignon cueilli pendant la nuit des Saints-Innocents, une dent de chat noir, un marron, sur lequel Pols le berger, sorcier avéré, avait gravé, au couteau, pour quelques liards, une série de chiffres cabalistiques destinés à conjurer le nombre libérateur. Vrai, elle n'avait rien négligé. Lorsqu'elle se plaignit à ce voleur de Pols du peu d'effet des talismans, il lui reprocha d'avoir mêlé les manœuvres orthodoxes aux pratiques condamnées par le curé : car on ne recourt pas, à la fois, aux saints et aux démons.

Frans avait tiré un des numéros les plus bas, un numéro aussi précaire que leur fortune.

Elle essaya d'obtenir l'exemption du maladroit en invoquant qu'elle était veuve et que ce garçon la nourrissait, mais il se trouva, comme toujours, des officieux de son village, ou même des paysans, qui disputaient non moins âprement leur fils à la caserne, pour révéler aux enrôleurs qu'il restait d'autres enfants à la veuve.

Alors elle songea à faire valoir des motifs de santé. Le médecin de Lierre consentit à attester par écrit que le père de Frans était mort étique. Ce n'était pas tout à fait cela, mais repentant de ses paroles sévères d'autrefois au lit de mort de Frerik Goor, le brave docteur s'était prêté à une petite supercherie.

Malheureusement le garçon était fait en conscience, comme on les fait encore en Campine. Lorsqu'on l'introduisit de la chambre où il s'était déshabillé, pêle-mêle avec les autres recrues de la levée, dans la salle du conseil, il fit sensation. Les juges se récrièrent en connaisseurs qui viennent enfin de rencontrer un sujet de valeur. Sans prendre garde à son ahurissement, à sa confusion de se trouver nu comme un ver devant ces personnages dorés, — avec des plaisanteries braques ils vous le tournèrent et le retournèrent dans tous les sens. Il fut palpé, mesuré, pesé, toisé, inspecté de l'orteil aux cheveux, dans ses parties les plus intimes, puis, avec une claque sur l'épaule, déclaré « Bon pour le service ». Qu'attendait-il pour se retirer ? Il parvint à reprendre contenance et demanda à leur soumettre sa demande d'exemption. Ils rirent beaucoup de cette prétention. Mais, en belle humeur, ils l'autorisèrent à se rhabiller et à aller chercher la paperasse. Lorsqu'ils eurent pris connaissance du billet, ils faillirent crever de rire.

Menacé de consomption, ce pandour râblé et joufflu ! Avec des pectoraux pareils ! Quelle plaisanterie ! Le confrère se moquait d'eux. Les recruteurs ne demandaient pas mieux que d'avoir toujours à livrer de la viande de cette qualité-là !

Bon pour le service ! Frans s'en retourna tout chagrin, surtout en songeant à sa mère. Il enviait Bald Vinck, un gaillard tourné comme lui, que les experts venaient de réformer sur la simple inspection de ses poteaux. Ce chançard avait des varices et ne s'en était jamais vanté ! Un autre gars de Kessel, Tiste, du « Moulin », devait sa liberté à une hernie. Encore une tare ignorée du fils de Barbel Goor et qu'il n'était pas loin de considérer comme un présent du ciel.

Le lendemain, il dut se rendre, sous la conduite d'un officier, au dépôt de Beveren, où il passa une nouvelle visite corporelle. Puis on lui prit mesure, on l'immatricula, et on le renvoya dans sa famille muni d'une feuille de route.

L'hiver s'écoula, les mois d'été passèrent à leur tour. La veuve s'imaginait que ces hauts messieurs du pouvoir oubliaient son garçon, lorsqu'un matin d'octobre, Frans allant au chantier, se croisa avec le garde champêtre, qui lui tendit un grimoire, visé par le bourgmestre, dans lequel on l'invitait à partir sans tarder pour le dépôt de Beveren. C'était l'ordre de joindre. Il fallait marcher, ou gare aux gendarmes. Baezine Goor n'eut que le temps de nouer dans une pièce de cotonnade rouge quelques hardes et un peu d'argent cousu au fond d'un bas de laine.

O le matin des adieux ! Il avait passé son paquet au bout de son bâton posé sur l'épaule. Elle le revit souvent, comme à cette heure-là, la bonne femme, le visage très rouge et très blanc par places, un air effaré, vêtu de son « meilleur » pantalon, d'un propre *kiel* bleu et de sa casquette des dimanches. Elle voulait qu'il fît une bonne impression sur messieurs les officiers et ne fût pas confondu avec les vagabonds pris dans les filets de la conscription en même temps que les fils de braves gens.

Elle l'accompagna jusqu'à Lierre, quoiqu'il eût essayé de l'en dissuader pour lui abréger les émotions : « Non, avait-il dit, le cœur gros et les yeux rouges, je serais moins raisonnable, tu m'enlèverais tout mon courage. »

En route, ils s'arrêtaient, comme à des stations de chemin de la croix, devant ces mignonnes chapelles accrochées au tronc des plus beaux arbres. Elle s'agenouillait, commençait une prière, mais elle n'achevait pas et finissait par se retourner vers son fils, lui prenait la tête entre les mains et le regardait dans les yeux comme si elle ne devait plus le revoir. Puis elle éclatait en sanglots.

— Ne pleure donc pas, mère. Ce n'est pas au bout du monde que je vais... Je passerai mes congés au village. Il vous faudra venir aussi là-bas... Puis j'écrirai, et Rup lira mes lettres, n'est-ce pas, Rup ? Embrasse encore une fois le grand frère, capon ! Et c'est notre Rup qui me répondra comme un sage garçon...

Et en disant : « Ne pleure pas ! » il avait l'air si peu certain de pouvoir rencogner ses propres larmes que la pauvre mère se reprenait à sangloter de plus belle. Les enfants qui trottinaient à leurs côtés avaient des petites mines graves et intriguées.

Il essaya de la plaisanter comme en ses bons jours ; mais cela n'allait plus ! Cette fausse gaieté était plus navrante que le reste ; et il prévoyait que son rire menteur se noierait dans un déluge qu'il sentait monter, monter de son cœur à ses yeux. Alors il pressait le pas, détournait le visage, affectait une certaine brusquerie : « Vite... Dépêchons... Car j'arriverai trop tard ». Et en se frappant la poitrine de son poing, il marmonnait entre les dents : « Es-tu un homme, oui ou non, à la fin ? Alors ne pleure pas, que diable ! »

Ils arrivèrent à la ville. L'approche de la gare était encombrée de conscrits éméchés, déambulant bras dessus, bras dessous, sans soif, de cabaret en cabaret. Urbains et ruraux fraternisaient. Tous, pauvres diables ! sentaient le labour ou l'atelier. Il y en avait qui gardaient à la casquette ces coques et ces papillotes de couleur dont on pare les bœufs gras destinés à l'abattoir et les gars bien portants envoyés à la caserne.

Les Goor entrèrent dans une « herberge » et demandèrent à boire ; mais la bière leur restait dans la gorge.

Des mères, des sœurs, des promises avaient résolu, comme Barbel, de ne se séparer des partants qu'à la dernière minute. Ces femmes se dévisageaient avec sympathie ; un apitoiement réciproque les gagnait en se montrant l'une à l'autre, du regard, celui qu'elles allaient perdre. C'étaient, dans les coins de la salle, des exhortations, des soupirs, des mains enlacées, des regards entrant profondément l'un dans l'autre. Parfois le conscrit, avec cette cruauté des êtres trop aimés, semblait s'impatienter de ces caresses, écoutait à peine les tendres conseils, pris de l'envie nerveuse de se trémousser et de hurler avec ces braillards tristes qui passaient par bandes devant les fenêtres.

Les dernières minutes s'envolèrent. Il fallut se séparer devant les guichets. Barbel et d'autres obstinées coururent jusqu'au premier passage à niveau. Accoudées à la barrière, elles verraient passer le train. La locomotive siffla. Le convoi s'était mis en marche et approchait, lentement, comme avec effort.

— Les voilà ! les voilà !

On les avait entassés dans des fourgons. Des têtes se pressaient aux portières. Des cris de reconnaissance, des appellations se croisaient, mal étouffés par le fracas de la machine.

— Frans ! Frans !

— Mère.

Elles regardèrent s'éloigner le serpent noir et agitèrent leurs mouchoirs même après que se fut dissipée la banderole de fumée que le monstre déroulait après lui. Il n'y avait plus rien ; elles regardaient encore cette cargaison de chair que le train emportait ; c'était comme si on venait de la leur couper, toute vive, autour du cœur.

*
* *

En regagnant son clocher, Barbel se sentit presque devenir mauvaise pour le prochain : « Ah ! pourquoi n'étaient-ils pas pécunieux comme les gros épiciers du *Navet d'or*, qui se vantaient au pauvre monde d'avoir racheté leurs six garçons ! » Et c'est qu'ils faisaient comme ils disaient, les privilégiés !

Afin de secouer cette humeur peu évangélique, elle essaya de vaquer aux soins du ménage. Cette après-midi-là, le lendemain, le surlendemain encore, la besogne alla de travers ; Barbel errait comme une perdue par la maison.

Et un désir de le revoir, lancinant, impérieux, à l'égal d'une envie de femme grosse, la prenait aux moelles. Elle se persuada qu'ils s'étaient mal embrassés, qu'elle n'avait pas été assez aimante au moment des adieux dans la gare. Elle en vint même à se reprocher un mot vif qu'elle lui avait dit la veille du départ et la minute de bouderie qui en était résultée au milieu de leurs épanchements. Puis elle aurait eu tant de recommandations à lui faire encore ! D'excellents prétextes à exode lui venaient à l'esprit : il n'avait emporté qu'une paire de chaussettes de laine, il se trouverait sans argent, peut-être manquait-il de pain ?

Le septième jour, ne tenant plus en place, elle résolut de le rejoindre à toute force. Il serait encore au dépôt, car on y reste toujours plus d'une semaine, avait-elle appris. Vite, elle fit un nouveau paquet bourré de linge, de vivres, héla Rup et Dâ qui se roulaient dans la poussière de la route, les débarbouilla et les nippa en un tour de main, se fit belle à son tour.

— Où allons-nous, mère ?

— A Beveren ! Retrouver notre Frans !

Ce n'étaient pas les marmots qui auraient protesté contre ce voyage. Ils dansaient rien qu'à l'idée de partir en chemin de fer.

En voyant Barbel fermer à double tour la porte de sa boutique :

— Tiens ! firent les voisines... Voilà la vieille Barbel qui se donne un jour de repos !

Les commères brûlaient de la questionner. Pourquoi son chapeau des dimanches, son bonnet le plus blanc, son jupon de lainage, sa nouvelle mante de drap noir? Elle, d'habitude si loquace, se contenta de distribuer des bonjours, sans quitter le milieu de la chaussée et pressa le pas.

A Lierre, ils n'eurent que le temps de prendre leurs billets. Des gardes bourrus aidèrent à guinder ce trio de voyageurs novices dans un wagon de troisième classe. C'était la première fois que Barbel se décidait à affronter l'inconnu de ce moyen de locomotion. Il est vrai que son Frans venait de lui donner l'exemple. Rup et Dâ béaient, littéralement miraculés, le nez collé aux vitres, regardaient le paysage courir plus vite que les scènes de leurs rêves.

L'horloge de la cathédrale d'Anvers sonnait deux heures de l'après-midi, lorsque, après bien des allées et venues et des rebuffades de bourgeois, et des polissonneries de gamins, et des anicroches de tout genre, la paysanne et ses deux paysannots mirent enfin le pied sur le petit bateau de passage. Ils n'avaient jamais vu l'Escaut, auparavant, les simples ! Barbel, trop absorbée dans ses songeries maternelles n'accorda pourtant à cette imposante masse d'eau verdâtre, sillonnée d'étranges maisons de bois, qu'une attention vague ; elle ne regardait rien que sa pensée, et tout ce décor maritime qui l'aurait émerveillée, un autre jour, lui était indifférent, voire invisible. Les petiots, par contre, tombaient d'extase en extase. A chaque instant, ils tiraient la rêveuse par sa mante pour lui faire admirer une voile, une hélice, une mouette qui sautillait sur l'eau, un détail de la manœuvre, le béret d'un marin basané. Le carillon se mit à chanter et ils crurent que cette musique tombait du ciel.

Sur la rive de Flandre il leur fallut monter dans un nouveau train.

— Sommes-nous arrivés à Beveren ? demanda Barbel à ses compagnons de route, dès le premier arrêt. Elle était déjà blasée sur la rapidité des locomotives. Son esprit voyageait autrement vite !

Ils atteignirent enfin leur destination. Elle se fit indiquer, sans peine, le dépôt : une grande bâtisse rouge, à l'écart de la villette.

Elle se croisa avec des escouades de conscrits déjà complètement équipés que des caporaux conduisaient en sacrant. Gauches, empruntés, embarrassés de leurs membres, ils se tâtaient comme mal fixés sur leur propre identité. D'autres semblaient naïvement glorieux de l'uniforme neuf.

Le cœur serré, Barbel cherchait à reconnaître son Frans sous ces bonnets ronds bordés de rouge, parmi ces culottes grises. Elle voulut accoster une des têtes de ce troupeau humain, mais un gradé la poussa de côté.

Elle se rabattit sur de nouveaux arrivants, non encore internés au dépôt, et qui profitaient de leur dernière heure de liberté. Elle s'informa de Frans auprès des moins turbulents. Mais hébétés, abîmés dans leur propre préoccupation, ces pauvres hères ne l'entendaient ou ne la comprenaient pas. Frans Goor ? Ce nom ne leur disait rien.

A la vérité, ils étaient aussi dépaysés qu'elle-même en ce coin des Flandres. Expédiés en masse de tous les points du pays, jetés là par fournées, ils n'avaient pas encore eu le temps de se reconnaître, de bien se rendre compte de ce qui leur arrivait. C'était un pêle-mêle d'urbains et de ruraux, de sarraus de valets de ferme et de vestes de manœuvres, de Flamands et de Wallons, d'aides-bateliers et de terriens. Leurs déhanchements, leurs hourvaris, leurs accès intermittents d'hébétude et de frénésie, tenaient de la fièvre d'oiseaux de plumage et de pays divers réunis brusquement dans la même volière. Ils fraternisaient au hasard, s'interpellant sans se connaître, se tapaient dans la main, se payaient des pintes, quittes à se lâcher l'instant d'après, à se perdre dans un autre groupe, à improviser de nouvelles amitiés. Pas deux de ces miliciens qui se fussent jamais rencontrés avant ce rendez-vous au dépôt. Quelques uniformes se mêlaient à ces recrues en casquette. Ils étaient très entourés, on leur faisait des politesses, on les écoutait comme des oracles, et les plus familiers se coiffaient de leur bonnet de police ou tiraient leur coupe-choux du fourreau.

Enfin, Barbel parvint à se frayer un passage à travers la cohue, jusqu'à la caserne du dépôt. Elle s'apprêtait à enfiler la poterne. Une sentinelle l'en empêcha. Par bonheur, c'était un garçon de la Campine et la mante à capuchon, le vaste bonnet et le chapeau cylindrique de la paysanne l'avaient déjà prévenu en sa faveur avant qu'elle eût ouvert la bouche. La consigne interdisait de laisser pénétrer des femmes dans le dépôt, mais il se flattait de mettre la payse en rapport avec le particulier demandé. Comme lui-même ne connaissait pas le conscrit de Kessel, il avisa un autre soldat attaché au dépôt, un Montois franc luron :

— Frans Goor ? dit celui-ci. Attendez un instant. J'ai vu ce fantassin. Un noir, assez grand, carré des épaules... pas vrai ? Pas de chance alors, la petite mère. En ce moment le lignard file à toute vapeur sur Ostende où garnisonne son régiment...

Barbel ressentit une commotion violente, mais ne se donna point pour battue. Où était Ostende ? Elle s'y rendrait sur-le-champ.

Pardine ! Ce n'était pas facile à expliquer où se trouvait cette diablesse de ville. Tout ce que le Campinois et le Borain en savaient, c'est que c'était au bord de la mer, très loin, et qu'il fallait encore plusieurs heures de chemin de fer pour y arriver. C'est à peine si elle y toucherait le jour même. La dernière correspondance pour Ostende était filée, croyaient-ils. Puis, en admettant que la villageoise fût rendue aujourd'hui encore à destination, ce ne serait jamais avant la nuit, bien après l'appel, et alors il lui faudrait gîter dans une ville inconnue et attendre le lendemain pour embrasser son « fieu ».

Elle écoutait ces sages objections en martyre dont une torture plus atroce que les autres aura raison. Durant le voyage l'idée de revoir son Frans l'avait soutenue. Ses nerfs se détendaient à présent, elle se sentait bien lasse et la pesanteur de l'après-midi pluvieuse contribuait à l'exténuer.

Ses interlocuteurs eurent pitié de la voir si découragée.

— Croyez-nous, baezine, dit la sentinelle, remettez votre visite à plus tard et retournez chez vous. Il y a encore un train pour Anvers dans une demi-heure. Un peu de courage, on ne va pas vous le tuer, votre enfant ! C'est dur, le service, mais on n'en meurt pas, à preuve que nous voilà, le camarade et moi, solides sur nos flûteaux. Eh bien, alors ?

Et en soupesant l'énorme paquet qu'elle trimbalait depuis le matin, des provisions à ravitailler toute une compagnie, il s'offrit de le faire parvenir à Frans par des miliciens de son régiment qui devaient partir le lendemain.

D'ailleurs, les petits dont elle ne s'occupait guère, tombaient de fatigue et de faim. Les soldats le lui firent remarquer. Depuis longtemps les objets nouveaux cessaient d'intéresser Rup et Dâ, et ils se faisaient traîner, maussades. Ceci la décida. Elle défit son paquet, en retira quelques tartines, une couple d'œufs durs pour les enfants, et força les obligeants soldats d'accepter quelques-unes des belles pommes destinées à son Frans. Elle prit ensuite Rup et Dâ sous les pans de son manteau, et retourna lentement sur ses pas, après avoir embrassé dans un regard médusé les hautes murailles rougeâtres qui semblaient frissonner sous la course des nuages gris et livides comme des couperets.

. . . .

*
* *

Les jours passent, bien lentement, mais ils passent ! La date de la libération arrivera à son tour. Frans, de plus en plus impatient, retourne chaque fois plus morne de ses congés, il en rapporte des provisions de souvenirs, de regrets, d'appréhensions, de désirs, ruminés aux longues heures de faction. Mal du pays ! Incurable maladie !

L'autre jour, il a suffi d'un pas redoublé, joué par la musique de son régiment, pour lui gonfler le cœur à le faire éclater, car cette mélodie alerte, mais attristante, il l'a entendue la dernière fois à l'*Etrille*, chez Wanske, à la répétition de la fanfare de Kessel.

Frans Goor n'est pas impunément du suggestif et croyant pays, où l'épaisseur et l'apparente torpeur de l'enveloppe cèlent des âmes ardentes jusqu'au fanatisme. Combien de fois ne fredonna-t-il pas ce refrain, le jeune ouvrier devant son établi ? Au village, tout le monde le chantait. Le bouvier le sifflotait machinalement en marchant derrière sa charrue. Le faneur, assis sur un char à foin, en marquait la mesure en entrechoquant ses sabots. Wanske du charron le gazouille en rinçant ses verres. Frans l'entendit à la dernière kermesse et il servit à ouvrir le bal. C'était l'air qu'on chante inconsciemment, par contenance ; qui berce la rêverie, comme le parfum de la fleur cueillie au bord du chemin, et dont on mâchonne la tige par désœuvrement. Un refrain vous possède comme un démon taquin. C'est le raccourci le plus impérieux des moments capitaux de la vie.

A Frans, cet air guilleret évoquait la chère et douce bruyère, l'âcre parfum des sabines, le susurrement des abeilles dans les genêts, le frou-frou des fougères, la fraîcheur de l'herbe à l'aube, les brûlis d'essarts dans la lande, et surtout et toujours, la coiffe et le visage de la mère en même temps que les joues potelées de Wanske du charron.

Il aurait voulu raconter ses pensées dans les lettres adressées régulièrement à Kessel. A combien d'influences contradictoires il cédait, par combien d'alternatives de confiance et d'inquiétude il passait ! Que de sentiments fugaces et subtils, de choses pressenties, dont il ne se rendait pas compte et qui le navraient ! Le poignant soulas de ses heures d'attente !

Aussitôt qu'il se mettait à écrire à Barbel, toutes ses impressions se dérobaient, et force était au brave garçon de se renfermer dans ces formules banales, dans ces phrases naïves et stéréotypées, qu'on retrouverait, depuis cinquante ans et plus, dans toutes les lettres de soldats.

Même commencement, même fin : « Je mets la main à la plume pour vous informer de mon bon état de santé et j'espère qu'il en sera de même chez vous... Envoyez quelque argent, car il ne fait pas agréable ici... »

Mais qu'importe cette apparente sécheresse de la phrase ; les absents comprennent et devinent. Souvent une larme, mal ressuyée, et qui a fait pâté avec l'encre fraîche, en dit plus long à ces simples sur les nostalgies du soldat.

Cependant, à la différence du commun des troupiers, Frans n'importunait pas les siens de demandes d'argent. Loin d'exploiter sa mère, de lui « tirer des carottes » en prétextant, comme c'est l'usage au régiment, des maladies, des amendes, des effets perdus ou déposés chez le prêteur sur gages et qu'il s'agissait de dégager ou de remplacer sous peine de passer devant le conseil de guerre, le brave garçon parvenait non seulement à épargner sur sa masse d'habillement, mais encore sur sa solde. A l'occasion il rendait de petits services à quelque fils de famille engagé par coup de tête, que cet « aristo » lui payait libéralement. Il offrait cet argent à Barbel et celle-ci était obligée de se fâcher pour qu'il consentît à en retenir de quoi se donner un peu de bon temps.

Une fois, le premier mois de son séjour à Bruxelles, il avait jeté l'argent par les fenêtres : joli soldat, il ne résista pas à la coquetterie de se faire photographier au rabais dans son uniforme flambant neuf. Le portrait envoyé à Kessel plongea dans l'extase Barbel, Wanske, les enfants et toute la paroisse.

Debout, bien astiqué, ganté, l'air fringant, les bottes foulant un tapis à ramages, un rideau derrière lui, la main droite appuyée au dossier d'un fauteuil, la gauche tourmentant la garde du coupe-choux, le shako de grande tenue déposé sur une table sculptée : Frans ressemblait à un baron. Barbel n'était pas loin de remercier Dieu qui avait placé son enfant dans une si belle chambre ! A la bonne heure, voilà qui valait mieux que l'intérieur du dépôt. Et la bonne âme devait garder jusqu'à son premier voyage à Bruxelles cette illusion sur le faste entourant le soldat à la caserne.

Courage, conscrit ! Quelques mois encore et tu seras libre. Un autre que toi se serait fait à la vie de caserne. Ainsi, tu n'as plus à souffrir du mauvais gré de ton entourage. La généralité de tes camarades ont fini par t'estimer. Lorsque les consignes pleuvaient et que tu étais « pincé dans le tas » pour des peccadilles commises par d'autres, jamais tu ne protestais, trop fier pour te plaindre, trop loyal pour faire office de délateur ou même pour exiger que les coupables se dénonçassent. Tu mangeas même, dans de pareilles circonstances, de la salle de police, voire du cachot. Dès lors, tes égaux en grade ont vu qu'ils avaient affaire à un caractère et que ce taiseux peu démonstratif était un crâne lapin, un bon bougre, franc du collier.

Tes chefs aussi t'apprécient. Même ils t'ont offert les chevrons du sous-off, à condition que tu signes un engagement. Non, jamais. Tu ne voudrais même pas de l'épaulette ! Tu n'as qu'une ambition : t'en aller au plus vite.

Quelques mois !... Quelques semaines !... Quelques jours !

Ah ! pauvre conscrit trop impatient de partir ! Prends garde, tu tentes le malheur ! Tu montres trop ta joie. Les hommes n'aiment pas cette ostentation. Et tu as commencé par faire des jaloux. Ces galons dédaignés, un autre s'en est paré et par une contradiction trop commune dans le caractère humain, cet autre, qui devrait te savoir gré de ton refus, en est humilié, et t'en veut d'avoir été, lui, moins dédaigneux que toi. Jamais, d'ailleurs, pour parler son langage, « il n'a pu te sentir ». Il existait, d'abord, entre vous, antipathie de races ; puis incompatibilité de caractère. C'est un méchant manœuvre du pays industriel, un massacre, renvoyé de partout ; avec cela faraud et hâbleur, pilier de cabaret, voltairien de carrefour. Il a fini par s'engager. On est toujours assez propre pour être soldat. Dans ce monde sa faconde a été goûtée ; par sa drôlerie et sa souplesse de singe, il s'est insinué dans la confiance de son capitaine.

Frans s'était contenté d'éviter ce sauteur sans lui témoigner d'autre antipathie. Mais passer inaperçu ne faisait pas le compte de cette espèce. Elle veut compagnonner coûte que coûte avec le « Flamin », ne fût-ce que par vanité, afin de se vanter d'avoir eu raison de la fierté de ce mufle et pour pouvoir dire avec dédain, après quelques noces faites de compte à demi : « Vous savez, ce paysan flamin, il n'en faut pas ; il est rien drôle, oh là, là ! ».

Toi, Frans, les gens que tu n'aimes pas, tu préfères

ignorer leur existence, les confondre avec le vide, passer sans les voir. Aussi toutes les avances de cette soudrille ont été vaines ; tu as répondu d'un air distrait à ses saillies ; prolongé dans ton rêve campinois tu ne t'es pas plus occupé de cette « gouape » que d'une mouche ; et ce sont les âmes renfermées comme la tienne, tes pays, des maroufles, des bestiasses, ainsi que les appelle le facétieux Haulqueur, que tu recherches et dont tu aimes la voix. Ah ! il ne t'a point pardonné ! Ce furet a des rancunes de femme coquette.

Son engagement n'expirait que dans quelques années. De plus, il a secoué contre sa province natale la poussière de ses bottes éculées. L'armée, à la bonne heure ! Il a donc accepté avec empressement le grade que tu refusais. Attention ! il est ton chef à présent.

Mais seulement pour trois jours...

Frans vient d'écrire à sa mère. Dans son allégresse il a même trouvé une variante à la formule ordinaire de ses lettres :

« Mère, c'est la dernière fois que je mets la main à la plume pour te donner des nouvelles de ma santé. Dans trois jours je viendrai prendre des nouvelles de la tienne. Trois jours, septante-deux heures. Quatre mille trois cent vingt minutes... ».

Il a ces minutes indiquées par un trait sur une page, et c'est un bonheur de les biffer à mesure qu'elles s'écoulent. Au moment où il termine sa lettre, il n'en reste plus que quatre mille trois cent quinze. Et de rayer jovialement ces défuntes.

Le clairon a sonné. Que se passe-t-il ? Appel extraordinaire.

Le sergent Haulqueur se présente devant les hommes plantés dans la cour et d'une voix éraillée et criarde :

— Garde à vous ! A droite alignement !... Numéros deux, trois, rentrez... Numéro sept, sortez... Ouvrez les rangs...

Les troupiers obéissent, automatiquement, au port d'armes.

— Bon. On m'a *fait* un porte-monnaie contenant trois francs. Quelqu'un de vous connaît-il le voleur ? Naturellement l'escamoteur est ici, mais n'aura garde de se dénoncer. C'est cependant ce qu'il aurait de mieux à faire, le bougre de salaud... N... de D... ! Personne ne dit mot... Alors, pendant que vous êtes ici, je vais passer la visite des sacs et des planches à bagages... Mais procédons d'abord à une petite inspection directe... Numéros un, deux, trois, retournez vos poches...

Les hommes désignés obtempèrent à cette injonction. Puis d'autres s'exécutent à leur tour. Ils ne retirent de leurs goussets que des pipes, de la poussière de tabac, une lettre graisseuse, parfois un peu de billon, des mouchoirs à carreaux.

— Hé, vous, numéro neuf, l'Flamin ! Frans Caniverchtone, vous m'avez entendu ? Videz vos poches, et rapidement...

Le pauvre garçon était bien loin, en pensée, du théâtre où se jouait en ce moment cette dégradante comédie. Il supputait les minutes envolées en contemplant, devant lui, le port, le havre du salut, presque atteint. Il n'entendit pas l'interpellation du rossard.

— Tonnerre de D... ! Ce ne sont pourtant pas les oreilles qui lui manquent à ce pendard-là ! M'as-tu compris, à la fin, il s'agit de montrer patte blanche, fiston...

Les hommes rient pour faire leur cour au sergent.

Comme Frans ne bronche pas, Haulqueur marche vers lui et le secouant par le bras :

— Retourne tes poches !

Qu'est-ce qu'il radote, le sergent ? Les poumons déjà gonflés par l'air intrépide de la bruyère, tout son cœur d'irréprochable garçon révolté par cette épreuve, Frans ne veut pas comprendre encore et hausse les épaules en signe de protestation.

— Quoi, il a l'air de *moufter,* le sacripant ! Je te ramasserai, toi ! Collez-moi ce gaillard à la salle de police ! Mais d'abord, tu vas obéir, ou je te fais *mettre à poil !* Ah, ah ! on est capable de s'être pourvu pour le voyage. Parions que je tiens mon voleur !

Il n'a pas lâché le mot, que Frans, éperdu, ne songeant plus ni à la discipline, ni à la loi, ni au code pénal, se croyant et se sentant redevenu homme libre, a saisi une jarre en grès qui se trouvait sur le pavé et l'a lancée à la tête de l'insulteur.

Haulqueur tombe, un trou à la tête, débagoulant des potées de sang.

Il n'y aurait plus eu que quatre mille trois cent douze minutes. O les fatales minutes qui viennent de passer, que ne peux-tu, pauvre milicien, les rajouter au total, et les revivre d'une autre façon !

Tandis que le peloton ramassait le sergent évanoui, d'autres sur l'ordre d'un officier de garde entraînaient le mutin à la salle de police. Et Frans entendait sur son passage des hommes de sa classe, qui devaient partir le surlendemain avec lui, lorsque les clairons donneraient le signal de la délivrance, chuchoter en hochant la tête : « Son affaire est claire. Il en a au moins pour cinq ans de correction ! ».

Demeuré seul dans la geôle, il s'est jeté en sanglotant sur le lit de camp, et se vautre en s'arrachant les cheveux, et se cache le visage dans les mains pour ne pas voir l'infâme bâtisse jaunâtre qui se dresse devant lui, comme par ce beau soir d'été où elle déshonorait la nature libre et heureuse. Cinq ans à Vilvorde, combien de minutes cela fait-il ? Dis !

La nuit vient ; la ronde a passé ; le clairon sonne le coucher. Les sons s'éteignent. Attendre encore ? Non, il n'en aura pas la force. Autant en finir d'un coup. Pardonnez-lui, les aimées, et toi aussi, mon Dieu, qui n'as pas eu pitié de lui ! De la prison ? C'est trop peu pour son crime. Devançant la sentence du conseil de guerre, il s'est condamné à mort.

. . . .

La lettre, partie de la caserne avant l'algarade, était arrivée à Kessel et Rup, un grand garçon à présent, la lisait et la relisait à la bonne femme.

Quatre mille trois cent vingt minutes ! Que dis-je ! Rup sait calculer. Il n'y a plus que deux mille cent quatre-vingts minutes, puisqu'un jour s'est écoulé depuis le départ de la lettre.

Demain le grand frère sera de retour !

Le matin, alors qu'il fait encore nuit, Barbel a grimpé, comme tous les jours, jusqu'à la mansarde où logeait son garçon. Elle va refaire le lit pour de bon ; car il aura fini, après la nuit prochaine, de coucher sur la paille du gouvernement.

Comme elle retient longtemps entre ses mains décharnées ce drap qui enveloppera de nouveau son favori, ce drap très blanc à la clarté de la lune pâlissante ! Cette toile antique, tissée par la mère, est si douce, si caressante le soir aux membres fatigués du travailleur !

Cependant, les frusques d'ouvrier charpentier, la veste et les bragues de velours tramé, le tablier de toile grise, la casquette molle s'écroulent sur la chaise près du chevet, comme si Frans venait de les dépouiller. Le parfum de résine et d'encaustique, dont ces vêtements étaient imprégnés, s'est éventé pour jamais, les plis contractés à la musculature saillante et aux coups de rein familiers du gars vont s'effacer, et le moment est venu où la pauvre idolâtre qui les hume comme un encens et les baise comme des reliques, n'y retrouverait plus trace du cher absent. Mais qu'importe ? Ne va-t-il pas les réchauffer, les façonner de nouveau à sa jeune et vivante personne ?

Elle les secoue, puis elle les pend, flasques, raides, étirés à l'espagnolette de la fenêtre.

Elle achève de faire le lit, de bien étendre le large drap blanc.

— Adieu, mère !

C'était la voix du gaillard tant aimé.

Elle se retourne et un instant, aux derniers rayons de la lune agonisante, elle a cru voir panteler le corps de Frans dans la défroque qu'elle vient d'accrocher.

— Pauvre moi ! fait-elle, troublée par cette bizarre hallucination et voulant réagir contre une vague détresse. « Où donc étaient mes idées ! Frans ne sera ici que demain ; il dort encore là-bas ! ».

Oh oui, là-bas, loin du village, loin du marché, loin de la grande, grande ville, transporté dans l'éternelle Cité !

DAELMANS-DEYNZE

A l'entrée d'une des rues riveraines du Marché-aux-Chevaux, où des hôtels un peu froids, habités par des patriciens, voisinent, comme en rechignant, avec des bureaux et des magasins de négociants, théâtre d'un va-et-vient continuel de ruche prospère, — court, sur une quarantaine de mètres, un mur bistré, effrité par deux siècles au moins, mais assez massif pour subsister durant de longues périodes encore.

Au milieu, une grande porte charretière s'ouvre sur une vaste cour fermée de trois côtés par des constructions remontant à l'époque des archiducs Albert et Isabelle, mais qui ont subi, depuis, des aménagements et des restaurations en rapport avec leurs destinées modernes.

Un des solides vantaux noirs étale une large plaque de cuivre consciencieusement astiquée, sur laquelle on lit en gros caractères : J.-B. Daelmans-Deynze et Cie. Le graveur voulait ajouter : denrées coloniales. Mais à quoi bon ? lui avait-on fait observer. Comme deux et deux font quatre, il est avéré, à Anvers, que Daelmans-Deynze, les seuls Daelmans-Deynze, sont commerçants en denrées coloniales, de père en fils, en remontant jusqu'à la domination autrichienne, peut être jusqu'aux splendeurs de la Hanse.

Si l'on s'engage sous la porte, profonde comme un tunnel de fortifications, et qu'on débouche dans la cour, on avise d'abord un petit vieillard alerte, quoique obèse, rouge de teint, monté sur de petites jambes minces et torses, arc-boutées plus que de nécessité, mais qui sont en mouvement perpétuel. C'est Pietje le portier. Pietje *de kromme* — le cagneux — comme l'appellent irrévérencieusement les commis et les journaliers de la maison, sans que Pietje s'en offusque. Aussitôt qu'il vous aura aperçu, il ôtera sa casquette de drap noir à visière vernie et, si vous demandez le patron, le chef de la firme, il vous dira, suivant l'heure de la journée : « Au fond, dans la maison, s'il vous plaît, monsieur », ou bien : « à droite, *sur* son bureau, pour vous servir... »

La cour, pavée de solides pierres bleues, s'encombre généralement de sacs, de caisses, de tonnes, de futailles, de dames-jeanne, d'outres et de paniers de toutes couleurs et dimensions.

Mais Pietje, jouissant de votre surprise candide, vous apprendra que ceci ne vous représente qu'un dépôt infime, un stock d'échantillons.

C'est à l'entrepôt Saint-Félix, ou dans les docks, aux Vieux-Bassins, que vous en verriez des marchandises importées ou exportées par Daelmans-Deynze !

De lourds chariots, attelés de ces énormes chevaux de « Nations » aux croupes rondes et luisantes, attendent, dans la rue, qu'on les charge ou qu'on les allège. M. Van Liere, le magasinier, en veston, fluet, rasé de près, l'œil douanier, le crayon et le calepin à la main, prend des notes, aligne des chiffres, remplit les formules, empoigne des lettres de voiture, parcourt les factures, saute parfois, agile comme un écureuil, sur le monceau des marchandises dont il constate la condition en poussant des cris et des interpellations, gourmandant ses aides, pressant les charretiers dans une langue aussi inintelligible que du sanscrit pour qui n'est pas initié aux mystères des denrées coloniales.

Les débardeurs, de grands diables, taillés comme des dieux antiques, avec leur tablier de cuir, leurs bras nus où les muscles s'enroulent comme les fibres d'un câble, rouges, empressés, soulèvent, avec un « han ! » d'entrain, les lourds ballots et, le poids assis sur leurs épaules, ne semblent plus supporter qu'un faix de plumes. Le charretier en blouse bleue, en culotte de velours brun à côtes, le feutre rond déformé et déteint par les pluies, son court fouet à large corde sous le bras, écoute respectueusement les observations de M. Van Liere.

— Minus, dérangez-vous un peu ! Laissez passer monsieur, dit ce potentat avec un sourire de condescendance, en comprenant, d'un coup d'œil, l'embarras de votre situation alors que vous enjambez les sacs et les caisses sans savoir comment cette gymnastique finira.

Un des colosses déplace, comme d'un revers de sa main calleuse, un des barils persécuteurs et avec un « Merci » de naufragé recueilli, vous poussez, enfin, dans l'angle du mur de la rue et du corps de bâtiment à droite, une porte vitrée sur laquelle se lit le mot : Bureaux.

Mais vous n'entrez encore que dans l'antichambre.

Une nouvelle poussée. Courage ! La porte capitonnée de cuir à l'intérieur glisse sans bruit. Vingt plumes infatigables grincent sur le papier épais des registres ou frôlent la soie des copies de lettres ; vingt pupitres adossés, deux à deux, se prolongent à la file sur toute la longueur du bureau éclairé du côté de la cour par six hautes fenêtres ; vingt commis juchés sur un nombre égal de tabourets, les manches en lustrine aux bras, le nez penché sur la tâche, semblent ne pas s'être aperçus de votre intrusion. Vous toussez, n'osant recourir à une interpellation directe...

— Artie étrangère ? M'sieur ?... — Correspondance ? Caisse ?... L'article corinthes... Dattes... Pruneaux... Huile d'olive ?... vous demandent machinalement, sans même vous dévisager, les ministres de ces départements divers, jusqu'à épuisement de la liste. — Non ! dites-vous au moins imposant de ce personnel... un jeune homme à l'air doux et novice, saute-ruisseau, vêtu de chausses trop courtes pour son long corps, ses bras en *steeple-chase* continuel avec la manche de sa veste battant de la longueur d'une main, d'un poignet, d'une partie d'avant-bras, l'étoffe poussive. — Non ! dites-vous, je désirerais parler à M. Daelmans... — Daelmans-Deynze... la porte du fond devant vous... Permettez que je vous précède... Il peut être occupé... Votre nom, monsieur ?...

Enfin, la dernière formalité étant remplie, vous avancez, longeant la file des pupitres, passant pour ainsi dire en revue, et de profil, les vingt commis gros ou maigres, chlorotiques ou couperosés, lymphatiques ou sanguins, blonds ou noirs, variant de soixante à dix-huit ans — l'âge du jeune homme effaré — mais tous également préoccupés, tous profondément dédaigneux du motif profane qui vous amène, vous, simple observateur, artiste, travailleur intermittent, dans ce milieu d'activité incessante, un des sanctuaires de dilection du Mercure aux pieds ailés.

Et c'est à peine si M. Lynen, le vieux caissier, a relevé vers vous son front chauve et ses lunettes d'or, et si M. Bietermans, son second en importance, le correspondant pour les langues étrangères, a campé pour vous lorgner un instant son pince-nez japonais sur son nez au busc diplomatique.

Mais ces comparses comptent-ils encore lorsque vous êtes en face du chef suprême de la « firme » ? —

Entrez, a-t-il dit de sa voix sonore. Il est là devant vos yeux, cet homme solide comme un pilier, un pilier qui soutient sur ses épaules une des maisons-mères d'Anvers. Il vous a dévisagé de ses yeux bleuâtres, gris et clairs ; cela sans impertinence ; d'un seul regard il vous jauge aussi rapidement son homme qu'il combinera une affaire en Bourse ; il a non seulement le compas, mais la sonde dans l'œil ; il devinera de quel bois vous vous chauffez, et éprouvera, avec une certitude aussi infaillible que la pierre de touche, si c'est de l'or pur ou du doublé que porte votre mine.

Un terrible homme pour les consciences véreuses, les financiers de hasard, que Daelmans-Deynze ! Mais un ami de bon conseil, un aimable protecteur, un appui intègre que Daelmans-Deynze pour les honnêtes gens, et vous en êtes, car c'est avec empressement qu'il vous a tendu sa large main et qu'il a serré la vôtre.

La plume derrière l'oreille, la bouche souriante, la physionomie ouverte et cordiale, il vous écoute, scandant vos phrases de politesse de « très bien ! » obligeants, en homme sachant qu'on s'intéresse à ce qui le concerne. Sa santé ? Vous vous informez de sa santé. Pourrait-on porter plus gaillardement ses cinquante-cinq ans ! Ses cheveux correctement taillés et distribués des deux côtés de la tête par une raie irréprochable, grisonnent quelque peu, mais ne désertent pas ce noble crâne ; ils lui feront plus tard une auréole blanche et donneront un attrait nouveau à ce visage sympathique. Les longs favoris bruns, que sa main tortille machinalement, s'entremêlent aussi de fils blancs, mais ils ont grand air, tels qu'ils sont. Et ce front, y découvre-t-on la moindre ride ; et ce teint rose, n'est-il pas le teint par excellence, le teint de l'homme sans fiel, au tempérament bien équilibré, aussi loin de la phtisie que de l'apoplexie?... Il ne porte même pas de lunettes, Daelmans-Deynze. Un binocle en or est suspendu à un cordon. Simple coquetterie! il lui rend aussi peu de services que le paquet de breloques attaché à sa chaîne de montre. Son costune est sobre et correct. Le drap très noir et le linge très blanc, voilà son seul luxe en matière de toilette. Grand, large d'épaules, il se tient droit comme un I, ou plutôt, comme nous l'avons dit, un pilier, un pilier sur lequel reposent les intérêts d'une des plus anciennes maisons d'Anvers.

Digne Daelmans-Deynze! A la rue, ce sont des coups de chapeau à chaque pas. Depuis les écoliers qui se rendent en classe, jusqu'aux ouvriers en bourgeron, tous lui tirent la casquette. Et jusqu'au vieux et hautain baron Van der Dorpen, son voisin, qui le salue, souvent le premier, d'un amical « Bonjour, monsieur Daelmans »... C'est que son écusson de marchand n'a jamais été entaché. Réclamez-vous de cette connaissance et pas une porte ne vous sera fermée dans la grande ville d'affaires, depuis la Tête de Grue jusqu'à Austruweel.

Dans les cas litigieux, c'est lui que les parties consultent de préférence avant de se rendre chez l'avocat. Combien de fois son arbitrage n'a-t-il pas détourné des procès ruineux et son intermédiaire, sa garantie, des faillites désastreuses. — Vous vous informez de sa femme?... Elle se porte très bien, grâce à Dieu, Mme Daelmans... Je vous conduirai auprès d'elle... Vous déjeunerez avec nous, n'est-ce pas?... En attendant, nous prendrons un verre de Sherry.

Il vous met sa large main sur l'épaule en signe de possession ; vous êtes son homme, quoi que vous fassiez. On ne refuse pas, d'ailleurs, une si cordiale invitation. Il pourrait vous conduire directement du bureau dans la maison par la petite porte dérobée, mais il a encore quelques ordres à donner à MM. Bietermans et Lynen. — Une lettre de notre correspondant de Londres ? dit Bietermans en se levant. — Ah ! De Mordaunt-Hackey... Très bien... Très bien... ! L'affaire des sucres, sans doute... Ecrivez-lui, je vous prie, que nous maintenons nos conditions... Messieurs, je vous salue... Qui fait la Bourse aujourd'hui ? Vous, Torfs ? N'oubliez pas alors de voir M. Barwoets... Excusez-moi, mon ami... Là, je suis à vous...

O l'aimable homme que Daelmans-Deynze !

Ces ordres étaient donnés sur un ton paternel qui lui faisait des auxiliaires fanatiques de son peuple d'employés.

Une remarque à faire, et ce n'était pas là une des moindres causes de la popularité de Daelmans à Anvers, c'est que la firme n'occupait que des commis et des ouvriers flamands et surtout anversois, alors que la plupart des grosses maisons accordaient, au contraire, la préférence aux Allemands.

Le digne *sinjoor* ne voulait même pas accepter les étrangers comme volontaires. Il ne reculait pas devant une augmentation de frais pour donner du pain aux « gars d'Anvers », aux *jongens van Antwerpen*, comme il disait, heureux d'en être, de ces gars d'Anvers.

Les autres négociants trouvaient originale cette façon d'agir. Le banquier rhénan Fuchskopf haussait les épaules et disait à ses compatriotes résidant à Anvers : « Cé ger Taelman vé té la boézie ! », mais le digne Flamand « faisait bien et laissait dire », et les Tilbak parlaient avec attendrissement du patriotisme du millionnaire du Marché-aux-Chevaux, et Vincent faisait miroiter aux yeux de son petit Pierket, bon écolier, cette perspective : « Toi, tu entreras un jour chez Daelmans-Deynze. »

Il vous a entraîné au fond de la cour dans la maison dont la façade antique est tapissée d'un lierre pour le moins contemporain de la bâtisse. A gauche, en face du bureau, sont les écuries et la remise. On gravit quatre marches, on pousse la grande porte vitrée précédée d'une marquise.

— Joséphine ! voici un ressuscité...

Et une bonne tape dans le dos, de la main de votre hôte, vous met en présence de Mme Daelmans.

Celle-ci, qui travaillait à un ouvrage au crochet, jette une exclamation de surprise et s'extasie sur l'heureuse inspiration à laquelle on doit votre visite.

Si le mari a bonne mine et l'abord sympathique, que dire de sa « dame » ? Le type par excellence de la ménagère anversoise, soigneuse, proprette et diligente.

Elle a quarante ans, Mme Daelmans. Des bandeaux bien lisses de cheveux noirs encadrent un visage réjoui, où brillent deux yeux bruns affectueux et où sourient des lèvres maternelles. Les joues sont fournies et colorées comme la chair d'une pomme mûrissante.

Elle est petite, la bonne dame, et se plaint de devenir trop épaisse. Cependant, ce n'est pas la paresse qui est cause de cette corpulence. Levée dès l'aube, elle est toujours sur pied, active et remuante comme une fourmi. Elle préside à toutes les opérations du ménage, avoue-t-elle, mais ce qu'elle ne dit pas, c'est qu'elle met elle-même la main à toutes les besognes. Rien ne marche assez vite à son gré. Elle en remontre à sa cuisinière dans l'art de bouillir le pot au feu, et au domestique dans celui d'épousseter les meubles. Elle court de l'étage au rez-de-chaussée. A peine a-t-elle l'envie de s'asseoir et mis la main sur le journal ou le tricot entamé, que lui vient une inquiétude sur le sort du ragoût qui mijote dans la casserole, ou de la provision de poires du cellier : Lise aura fait trop grand feu et Pier négligé de retourner les fruits qui commençaient à se piquer d'un côté. Avec cela pas d'humeur ; la bonne dame est vigilante sans être tatillonne. Elle fera largement l'aumône aux pauvres de la paroisse, mais ne tolérera pas qu'on perde un morceau de pain, petit comme le doigt.

Aussi comme elle est tenue, la vieille maison de Daelmans-Deynze ! Dans la grande chambre où l'on vous a introduit, vous ne serez pas frappé par un luxe de la dernière heure, un mobilier flambant neuf, des peintures auxquelles un décorateur à la mode vient de donner un coup de pinceau hâtif. Non, c'est l'intérieur cossu et simple dont vous avez rêvé en voyant les maîtres. Ces meubles ne sont pas les compagnons d'un jour achetés par un caprice et remplacés par une lubie, ce sont de solides canapés, de massifs fauteuils en acajou, style empire, garnis de velours pistache. On en renouvelle les coussins avec un soin jaloux ; on polit consciencieusement le bois séculaire ; on les entretient comme de vieux serviteurs de la maison : on ne les remplacera jamais.

La dorure des glaces, des cadres et du lustre a perdu, depuis longtemps, le luisant de la fabrique, et les couleurs de l'épais tapis de Smyrne ont été mangées par le soleil, mais les vieux portraits de famille gagnent en intimité et en poésie patriarcale dans ces médaillons de vieil or, et le tapis laineux a dépouillé ses couleurs criardes ; ses bouquets éclatants ont pris les tons harmonieux et apaisés d'un feuillage de septembre. Il y a bien des années que ces grands vases d'albâtre occupent les quatre encoignures de la vaste pièce ; que ce cuir de Cordoue revêt les parois, que la table ronde en palissandre trône au milieu de la salle, que la pendule à sujet, au timbre vibrant et argentin, sonne les heures entre les candélabres de bronze à dix branches. Mais ces vieilleries ont grand air ; ce sont les reliques des pénates. Et les housses ajourées, œuvre du crochet diligent de la bonne dame Daelmans, prennent sur ces coussins de velours sombre des plis sévères et charmants de nappe d'autel.

C'est devant ce Daelmans-Deynze que Guillaume Dobouziez se présente, le lendemain du dîner politique chez M. Freddy Béjard.

Ces deux hommes, camarades de collège, s'estimaient beaucoup et se fréquentaient assidûment il y a des années ; et c'est le luxe trop ostensible, le train de maison tapageur et surtout les relations remuantes et cosmopolites de l'industriel qui ont éloigné M.Daelmans d'un confrère dont il apprécie les connaissances solides, l'application et la probité. Autrefois même, il fut sérieusement question entre eux d'une association commerciale. Daelmans comptait mettre ses capitaux dans la fabrique. Mais c'était à l'époque de la pleine prospérité de cette industrie et Dobouziez préférait en demeurer propriétaire principal. Aujourd'hui il vient proposer humblement au négociant de reprendre ses actions.

Daelmans-Deynze sait depuis longtemps que l'usine périclite, il n'ignore pas moins les sacrifices auxquels se résigna Dobouziez pour établir sa fille et venir en aide à Béjard ; il pourrait manifester à son interlocuteur un certain étonnement devant une pareille proposition, et ravaler l'objet offert afin de l'obtenir à des conditions léonines ; mais Daelmans-Deynze y met plus de discrétion et moins de rouerie. Au fond, il ne nourrit pas grande envie de s'embarrasser d'une affaire nouvelle par ce temps de crise et de stagnation, mais il a deviné, dès les premiers mots de l'entretien, voire par la démarche même à laquelle s'est décidé Dobouziez, que celui-ci se trouve dans des difficultés atroces, et Daelmans appartient à la classe de plus en plus restreinte de commerçants qui s'entr'aident. Non, admirez le tact avec lequel M. Daelmans débat les conditions de la reprise. Afin de mettre M. Dobouziez à l'aise, il ne feint aucune surprise, il ne prend pas ce ton de compassion qui offenserait si cruellement un homme de la trempe du fabricant ; il ne lui insinue même pas que s'il consent à racheter la fabrique, de la main à la main, c'est uniquement pour obliger un ami dans la détresse. Pas une récrimination, pas un reproche, aucun air de supériorité !

Oh ! le brave Daelmans-Deynze ! Et ces bons sentiments ne l'empêchent pas d'examiner et de discuter longuement l'affaire. Il entend concilier son intérêt et sa générosité ; il veut bien obliger un ami, mais à condition de ne pas s'obérer soi-même. Quoi de plus équitable ? C'est à la fois strictement commercial et largement humain. Cependant ils vont conclure.

Reste un point que ni l'un ni l'autre n'osent aborder. Il faut bien s'en expliquer cependant ; tous deux l'ont au cœur. Mais Dobouziez est si fier et Daelmans si délicat ! Enfin, Daelmans se décide à prendre, comme il dit, le taureau par les cornes :

— Et, sans indiscrétion, monsieur Dobouziez, que comptez-vous faire à présent ?

L'autre hésite à répondre. Il n'ose pas exprimer ce qu'il souhaiterait.

— Ecoutez, reprend M. Daelmans, vous accueillerez mes ouvertures comme vous l'entendrez et il est convenu d'avance que vous me les pardonnez, au cas où elles vous paraîtraient inacceptables... Voici. La fabrique changeant de propriétaire, il serait désastreux qu'elle perdît du même coup son directeur... Vous me comprenez ? Je dirai même que cette éventualité suffirait pour faire hésiter l'acquéreur. Des capitaux se remplacent, monsieur Dobouziez, l'argent se gagne, se perd — se gaspille, allait-il dire, mais il se retint — se regagne. Mais ce qui se trouve et ce qui se remplace difficilement, c'est un homme de talent, un homme instruit, actif, expérimenté, un homme de métier... C'est pourquoi je vous demande, M. Dobouziez, si vous verriez quelque inconvénient à demeurer à la tête d'une industrie que vous avez édifiée et que vous seul pouvez maintenir et perfectionner... Nous comprenons-nous ?

S'ils se comprenaient ! Ils ne pouvaient mieux se rencontrer. C'était précisément la solution qu'espérait M. Dobouziez.

Entre gens si honnêtes et si droits, on convint avec tout autant de facilité du chiffre des appointements du directeur; sauf ratification par Saint-Fardier et les petits actionnaires: une simple formalité. Il va sans dire que M. Daelmans mit ces appointements à un chiffre très respectable. Il voulait même que le directeur continuât d'occuper la somptueuse maison attenante à la fabrique. Mais le père esseulé désirait retourner auprès de son enfant.

Ah ! personne comme Daelmans-Deynze n'aurait pu adoucir à Dobouziez l'amertume et l'humiliation de ce sacrifice ! Qui s'imaginerait pareille délicatesse et pareilles nuances de procédés chez cet homme de négoce ! Dobouziez dut se l'avouer au fond de son son cœur si blindé, si fier, si peu accessible aux émotions. Et, au moment de prendre congé de M. Daelmans — son patron — comme il articulait quelque correcte formule de remerciements, il sentit se fondre brusquement comme des glaçons dans sa poitrine, et, se ravisant, se précipita dans les bras de son ami, son sauveur.

— Courage ! lui dit l'autre avec sa simplicité et sa rondeur habituelles.

LE DÉPART DES ÉMIGRANTS

Cependant, les deux camions de la Nation d'Amérique (1) réquisitionnés par Jan Vingerhout, débouchent sur le quai. Pour lui faire honneur, on y a attelé deux couples de ces chevaux de Furnes, énormes palefrois d'épopée, de ces majestueux travailleurs à l'allure lente et délibérée, dont le pas égal et solennel aurait raison du trot d'un coursier. Jamais les fières bêtes n'avaient charroyé d'aussi légères et d'aussi pitoyables marchandises ; les bagages s'amoncellent, mais ne pèsent pas lourd. A telle enseigne que pour ne pas humilier les puissants chevaux, les émigrants aussi ont pris place sur ces fardiers.

Parmi l'éboulement, le pêle-mêle des caisses blanches clouées, ficelées à la diable, des sacs éventrés, des piètres trousseaux noués dans des foulards de cotonnade, se prélassent des groupes de jeunes émigrants de Lillo, Brasschaet, Santvliet, Pulderbosch et Viersel.

Quelques-uns, fanfarons, pleins de jactance, riaient, fringuaient et clamaient, interpellaient les curieux,

---

(1) L'écrivain a expliqué dans un précédent chapitre l'organisation et l'activité de ces « nations » qui sont « des corporations ouvrières rappelant les anciennes gildes flamandes ». Elles utilisent une main-d'œuvre et un matériel importants et s'occupent du chargement et du déchargement des navires.

semblaient exulter. En réalité, ils s'efforçaient de se donner le change à eux-mêmes, de se déprendre de leur idée fixe, bourrelante comme un remords. Même, sous prétexte de réconforter leurs compagnons d'une contenance moins faraude, d'allure moins exubérante, ils leur allongeaient de grandes bourrades dans le dos. Au nombre de ces villageois on en comptait un ou deux tout au plus dont cette joie désordonnée et démonstrative fût sincère. Les autres s'étaient monté le coup. Mais, puisque le sort en était jeté et qu'ils ne pouvaient plus se raviser ou se dédire, à mesure que les fumées des illusions se dissipaient et que la conscience patriale se réveillait dans leur fressure, pour se donner du cœur ils entonnaient force rasades d'alcool comme le jour du tirage au sort.

Les yeux fous, les pommettes rouges, à la fois endimanchés et débraillés, on les eût pris à première vue pour ces jeunes valets et servantes qui, à la saint Pierre et Paul, se font trimbaler, dès l'aube jusqu'au soir, dans des charrettes bâchées de feuillage et de fleurs.

Mais la plupart étaient silencieux et apathiques, abîmés dans des réflexions. Si, gagnés par la frénésie de leurs voisins, ils se mettaient d'aventure à battre quelques entrechats et à graillonner un refrain de kermesse, le « Nous irons au pays des roses », des *Rozenlands* de la saint Pierre et Paul, ou « Nous arrivons de Tord-le-Cou », des *Gansrijders* (1) du mardi gras, les notes s'étranglaient bien vite dans leur gorge et ils retombaient dans leur méditation.

En avance sur la marche du navire, il arrivait aussi que leur pensée planât là-bas, par-dessus l'immensité

(1) Voir, dans *Kees Doorik,* la troisième partie.

des espaces voués aux flots et aux nuages, vers les côtes lointaines où les attendaient les patries nouvelles ; ou bien leur esprit retournait en arrière et les ramenait au village natal, quitté la veille, à l'ombre du clocher d'ardoises dont la voix mélancolique ne les exhorterait plus à la résignation !

. . . .

O le doux hameau où ils ne remettraient plus jamais les pieds, où ils n'iraient même pas dormir leur dernier et meilleur somme en terre deux fois sainte à côté des réfractaires d'autrefois !

Laurent lisait l'arrière-pensée de ces braillards. Sa compassion pour les Tilbak s'étendait à leurs compagnons. Entre mille épisodes poignants un surtout l'émut pour la vie et sembla condenser la détresse et le navrement de ce prologue de l'exil.

Au moins une trentaine de ménages de Willeghem, bourgade de l'extrême frontière septentrionale, s'étaient accordés pour quitter ensemble leur misérable pays. Ceux-là n'avaient point pris place sur les camions, mais, un peu après l'arrivée du gros des émigrants flamands, ils se présentèrent en bon ordre, comme dans un cortège de festival. Soucieux de faire bonne figure, de se distinguer de la cohue, désirant qu'on dise après leur départ : « Les plus crânes étaient ceux de Willeghem. »

Les jeunes hommes venaient d'abord, puis les femmes avec leurs enfants, puis les jeunes filles et enfin les vieillards. Quelques mères allaitaient encore leur dernier-né. Combien d'aïeules, s'appuyant sur des béquilles et comptant sur un renouveau, sur une mystérieuse jouvence, devaient s'éteindre en route, et, cousues dans un sac lesté de sable, basculées sur une planche, se verraient destinées à nourrir les poissons ! Des hommes faits, en nippes de terrassiers, vêtus de gros velours côtelé, avaient la pioche et la houe sur l'épaule et le bissac et la gourde au flanc. Des couvreurs et des briquetiers allaient appareiller pour des pays où l'on ignore la tuile et la brique.

Une jeune fille, l'air d'une innocente, moufflarde et radieuse, emportait un tarin dans une cage.

En tête marchait la fanfare du village, bannière déployée.

Fanfare et drapeau émigraient aussi. Les musiciens pouvaient hardiment emporter leurs instruments et leur drapeau, car il ne resterait personne à Willeghem pour faire encore partie de l'orphéon.

Laurent avisa, marchant à côté du porte-drapeau, un ecclésiastique à cheveux blancs, le prêtre de la bourgade. Malgré son grand âge, le pasteur avait tenu à conduire ses paroissiens jusqu'à bord, comme il les accompagnait jadis chaque année au pèlerinage de Montaigu (1). L'avaient-ils priée et conjurée, la bonne Vierge de Montaigu, depuis des années que durait la crise ! Pourquoi, patronne de la Campine et du Hageland, restais-tu sourde à ce cri de détresse ? Au lieu de remonter, comme aux temps légendaires, les fleuves limoneux du pays, dans des barques sans pilotes et sans mariniers, pour atterrir aux rivages élus par leur divin caprice et s'y faire édifier de miraculeux sanctuaires, les madones désertaient donc, à présent, leurs séculaires reposoirs et avaient redescendu les premières les mêmes cours d'eau qui les conduisirent autrefois, des continents inconnus, au cœur des Flandres. Pourtant les simples de la plaine

---

(1) Voir *La Faneuse d'Amour.*

flamande t'avaient édifié une basilique sur un des seuls monts de leur pays, autant afin qu'on vît de très loin resplendir la coupole étoilée de ton temple de miséricorde que pour te rapprocher de ton Ciel. Vierge inconstante, donnais-tu toi-même l'exemple de l'émigration à tous ces nostalgiques des pauvres landes de l'Escaut ?...

Mais, ce soir, après avoir vu disparaître le navire au tournant du fleuve et se confondre les spirales de fumée avec les brumes du polder, lui, le bon pasteur, regagnerait à pas lents le bercail, triste comme un berger qui vient de livrer lui-même au redoutable inconnu la moitié du troupeau marqué d'une croix rouge par le toucheur.

Si, pourtant, les hauts et nobles propriétaires, hobereaux et baronnets, avaient consenti à diminuer un peu les fermages, ces fanatiques du terroir n'auraient pas dû s'en aller ! Ils seraient bien avancés, les beaux sires, le jour où il n'y aurait plus de bras pour défricher leurs onéreux domaines !

Quelques-uns des émigrants de Willeghem portaient à la casquette une brindille de bruyère ; d'autres avaient attaché une brassée de la fleur symbolique au bout de leurs bâtons, au manche de leurs outils, et les plus fervents emportaient, puérilité touchante ! tassée dans une cassette ou cousue dans des sachets en manière de scapulaire, une poignée du sable natal.

Ingénument, non pour récriminer contre la patrie mauvaise nourricière, mais pour lui témoigner une dernière et filiale attention, ces pacants arboraient leur costume national, leurs nippes les plus locales et les plus caractéristiques ; les hommes, leurs bragues de pilou et de dimitte, leurs sarraus d'une coupe et d'une teinte si spéciales, de ce bleu foncé tirant sur le gris ardoisé de leur ciel et qui permet de distinguer à leur blaude les paysans du Nord de ceux du Midi ; — les femmes : leurs coiffes de dentelles à larges ailes qu'un ruban à ramages attache au chignon, et ces chapeaux bizarres, en cône tronqué, qui n'ont d'équivalent en aucune autre contrée de la terre.

Au moment de délaisser la terre natale, c'était comme s'ils songeaient à la célébrer et à s'en oindre d'une manière indélébile. Même ils parlaient à haute voix, mettant une certaine ostentation à faire rouler les syllabes grasses et empâtées de leur dialecte ; ils tenaient à en faire répercuter les diphtongues dans l'atmosphère d'origine.

Mais ils trouvèrent encore moyen d'accentuer l'inconsciente et tendre ironie de leurs démonstrations.

Arrivés sous le hangar, avant de s'engager sur la passerelle du navire chauffant pour le départ, les gars de la tête firent halte et volte-face, tournés vers la tour d'Anvers, et, embouchant leurs cuivres, drapeau levé, attaquèrent — et non sans couacs et sans détonations, comme si leurs instruments s'étranglaient de sanglots — l'air national, par excellence, l'*Où peut-on être mieux* du Liégeois Grétry, la douce et simple mélodie qui rapproche par les accents du plus noble langage, les Flamands et les Wallons, fils de la même Belgique, tempéraments dissemblables, mais non ennemis, quoi qu'en puissent penser les politiques. Aussi les houilleurs borains massés sur le pont se portèrent mains tendues au-devant des *Flamins*.

Tels se réconcilient et s'embrassent deux orphelins au lit de mort de leur mère.

Les conjectures vraiment pathétiques de cette dernière aubade au pays déterminèrent chez Laurent un afflux de pensées. Il entendait rauquer dans cet hymne attendri, scandé et modulé d'une façon si bellement barbare par ces bannis si affectifs, toutes les expansions refoulées et tous les désenchantements de sa vie. Cette scène devait lui rendre plus cher que jamais le monde des opprimés et des méconnus.

Qu'il était loin déjà le jour d'insouciance de l'excursion à Hemixem et loin aussi le jour de son retour à Anvers et de sa longue contemplation des rives du fleuve bien-aimé !

Par ce dimanche ensoleillé, l'air vibrait aussi de fanfares, mais aucune de ces phalanges rurales n'avait quitté la rive pour ne plus la revoir !

L'arrivée des Tilbak et de Jan Vingerhout porta l'exaltation de Laurent à son paroxysme. Il tressaillit comme un somnambule lorsque le maître débardeur lui toucha l'épaule. Il avait la poitrine trop gonflée pour parler, mais sa contenance, sa physionomie convulsée, leur exprimaient mieux que des protestations le monde d'angoisses qu'il ressentait.

Il embrassa Siska et Vincent, hésita un moment, puis, consultant du regard le brave Jan Vingerhout, il appliqua un long et fraternel baiser au front d'Henriette, serra contre sa poitrine l'ancien baes de la Nation d'Amérique, et, prenant les mains d'Henriette, il les mit dans celles de son mari, et les tint pressées entre les siennes, comme pour s'unir à eux dans cette étreinte quasi sacramentelle.

Puis, sentant l'émotion lui nouer la gorge, il n'eut que le temps de se tourner vers Lusse et Pierket qui lui tendaient leurs mains et leurs lèvres. Et, sous les larmes que Laurent ne parvenait plus à retenir, Pierket, qui adorait son grand ami, éclata en sanglots et se suspendit à son cou comme s'il voulait l'entraîner avec eux par delà les mers.

Aussi cette lugubre et ironique coïncidence qui faisait s'embarquer Henriette et les siens à bord de la *Gina*, avait par trop étreint le cœur de Paridael. Il reconnaissait le mauvais génie de Béjard et de sa femme. Cette *Gina* lui ravissait Henriette et tous ceux qu'il aimait !

D'autres corrélations bizarres et inattendues se présentèrent encore. Ce village de Willeghem qui émigrait en masse, était précisément celui de Vincent et de Siska. Comme ils l'avaient quitté enfants, ils ne reconnaissaient personne. Mais en interrogeant ce monde ils retrouvèrent quelques noms, démêlèrent des traits de famille dans les physionomies, finirent par se découvrir des cousins. Ces reconnaissances eurent ceci de bon qu'elles étourdirent et dissipèrent un peu les partants. Jan Vingerhout dit en riant: «Willeghem sera donc au complet, là-bas ! Et nous fonderons une nouvelle colonie à laquelle nous donnerons le nom du cher village ! Vive le Nouveau-Willeghem ! »

Et tous de faire chorus.

. . . .

L'heure pressait. Laurent s'éclipsa pour aller installer les femmes, avec Tilbak, dans l'entrepont de la *Gina*. On fit d'abord quelque difficulté de recevoir Laurent à bord. L'accès des aménagements d'émigrants était strictement interdit aux curieux, et pour cause. Une fois sur le bateau, il était même défendu aux voyageurs de retourner à terre, sous peine de perdre leur place et même l'argent de leur passage. Toutefois, grâce à l'obligeance d'un gabier, avec lequel Tilbak avait été amateloté jadis, il fut permis à Paridael d'inspecter le nouveau domicile de ses amis.

La *Gina* contenait plus de six cents lits de camp en bois blanc, ou plutôt des châssis mal varlopés, tendus d'une sangle, couplés et superposés par groupes de douze dans les entreponts. La literie de ces branles consistait en un sac bourré de paille fétide, dont un pourceau n'eût pas même voulu pour litière, vrai réceptacle de la vermine.

Malgré le long aérage, il régnait dans ces couloirs une odeur indéfinissable d'hôpital mal tenu, mélange de bouteilles et de faguenas. Que serait-ce plus tard, lorsque toutes ces épaves humaines s'y encaqueraient, les haillons et les corps exsudant autant de miasmes qu'un grouillement de fauves ; surtout pendant les gros temps, lorsqu'on ferme les écoutilles.

Les règlements prescrivaient de séparer les sexes à bord et d'éloigner autant que possible des adultes les enfants en bas âge. Mais Béjard et consorts n'étant pas hommes à tenir compte de ces prescriptions, on ne les observait qu'en vue du port.

Avant même de gagner la mer, on bouleversait tous ces arrangements ; on n'empêchait plus la promiscuité ; on recevait en fraude un surcroît de passagers que des embarcations interlopes amenaient de la rive pendant la nuit. Runners et smoglers n'avaient pas de client plus précieux que Béjard et Cie.

Les cambuses étaient fournies de lard, de viande fumée, de biscuits de mer, de bière, de café, de thé, « en quantité plus que suffisante pour le double de la durée du voyage », renseignaient les prospectus, la dernière œuvre littéraire de Dupoissy, l'homme des impostures et des charlataneries. A la vérité, c'est à peine si l'aiguade suffirait ! On rationnait les malheureux comme une garnison assiégée. Chaque passager recevait une petite gamelle en fer-blanc ressemblant à celle des troupiers. La distribution des vivres se faisait deux fois par jour ; les aliments mesurés à la livre, les liquides au boujaron, litre spécial et réduit en usage sur les bateaux. Naturellement un froid perçant régnait sans cesse dans les entreponts, les vents coulis y prodiguaient les rhumes sans toutefois balayer l'odeur invétérée.

Et c'est là qu'allaient devoir gîter la bonne Siska et la chère Henriette.

— Bast ! disait Tilbak en voyant la mine déconfite de Laurent. La traversée n'est pas longue. Et j'en ai vu bien d'autres !

Ils remontèrent sur le pont. Laurent remarqua quelques box en bois, contenant onze chevaux de labour, l'écurie de quelqu'un de ces fermiers aisés affolés par la crise et s'expatriant avant la ruine. A voir ces installations, autant eût valu jeter les bêtes à l'Escaut. Leurs propriétaires étaient bien naïfs s'ils s'imaginaient qu'elles supporteraient la traversée dans ces conditions. Les exploiteurs s'arrangeraient de façon à les leur faire céder à bas prix. L'entretien de ces chevaux coûterait gros à leurs possesseurs et à la longue ils en retireraient à peine le prix de la peau. Au-dessus de ces écuries sommaires, sans le moindre auvent, dans des caisses de bois blanc s'entassaient le foin, la paille et l'avoine.

Cependant l'ivoire s'amoncelait un peu à la diable. Le pont revêtait l'apparence d'un bivac de fugitifs, d'un campement de bohémiens. En frôlant ces parias de toutes les contrées, apportant on ne sait quelle couleur et quelle odeur spéciale dans leurs hardes, Laurent remarqua qu'ils étaient vêtus très légèrement et que beaucoup claquaient déjà des dents et tremblaient de fièvre. Un des agents de Béjard passait entre leurs groupes et pour les réconforter disait que ce froid ne durerait que quelques jours. Une fois passé le golfe de Gascogne, commencerait l'été perpétuel. L'agent n'ajoutait pas qu'entre l'Afrique et les côtes du Brésil les passagers cuiraient au point de ne pouvoir se tenir sur le pont, et que la calenture, le délire furieux, emporterait quelques-uns de ceux qui auraient tenu tête à la fièvre paludéenne. Il leur cachait surtout les horreurs de la traversée, l'arbitraire et la brutalité qui les attendaient au débarquement et les misères sans nombre à endurer en ces milieux incompatibles.

— Il est temps de repasser la planche, car on démarre, camarade ! vint dire obligeamment le gabier à Paridael.

Le sifflet strident de la machine alternant avec des rauquements de bête féroce, appelait longuement les retardataires. Laurent s'arracha aux effusions de ses amis et regagna le quai.

Comme si ce n'eût pas encore été assez de détresse et d'horreur, un incident lamentable se produisit à la dernière minute.

Un misérable, dépenaillé, à la fois jaune et livide, les yeux hagards, les cheveux en désordre, sous l'empire d'une violente excitation alcoolique, entraînait de force vers l'embarcadère du navire en partance, une pauvre femme, de mine honnête, mais non moins ravagée, maigre, couverte de haillons moins sordides, mais tout aussi usés, qui résistait, se débattait, criait, deux pauvres mômes accrochés à ses jupes. Sans doute la malheureuse mère n'entendait pas suivre son ivrogne de mari en Amérique et estimait comme plus atroce que la faim endurée au pays natal, l'exil loin de toute connaissance amie, de tout visage et de tout objet familier, dans des parages où rien ne la consolerait de l'ignominie et de la crapule de son époux.

Ecœurés par cette scène, Laurent avec quelques baes et compagnons de Nations, eurent bientôt délivré la mère et les enfants. Tandis que les uns conduisaient la pauvre femme, presque morte d'inanition, dans une auberge riveraine, les autres emmenaient le mauvais sujet vers la *Gina*, et d'une bourrade vous l'embarquaient plus rapidement qu'il n'eût voulu, en le projetant par delà la passerelle au risque de le précipiter dans le fleuve.

Le soulard, hébété, sembla se résigner à son divorce inattendu ; d'ailleurs la communication avec la rive venait d'être rompue. Sans plus se soucier des siens, il s'approcha du bordage et les assistants le virent retirer de la poche de son paletot crasseux une bouteille de genièvre encore à moitié pleine.

— Voyez, bredouillait-il en titubant et en brandissant la bouteille au-dessus de sa tête, voici tout ce qui me reste ; dans ce flacon s'est fondu le dernier argent que je possédais encore... Et, tenez, je bois cette gorgée d'adieu à la Belgique !

Et portant la bouteille à ses lèvres, il la vida d'un seul trait ; puis il la jeta de toutes ses forces contre le mur du quai, de manière à en éparpiller les éclats dans le fleuve. Et avec un rire idiot, il hurla :

— *Evviva l'America !*

Cependant les matelots ramenaient à eux et enroulaient les amarres détachées des bornes de pierre, l'hélice commençait à patiner les vagues, sur la dunette le capitaine hurlait les ordres répétés à l'avant et à l'arrière et transmis par un mousse, au moyen d'un porte-voix, aux hommes de la chambre de chauffe ; manœuvré par le timonier à la barre, le navire vira lentement de bord et un bouillonnement de vaguilles lécha les flancs de la *Gina*.

A un choc de la manœuvre, l'arsouille venait de s'écrouler comme une masse aux pieds de ses compagnons de route.

Laurent détourna les yeux vers des personnages plus sympathiques.

La fanfare de Willeghem agita son drapeau de velours à broderies et à crépines d'or, et reprit l'*Où peut-*

on être mieux, que les Borains, rapprochés des Campinois, chantaient en chœur.

Dans le papillotement des têtes échauffées ou blêmes, Laurent finit par ne plus voir que le groupe des Tilbak. Jusqu'à la dernière heure, il avait songé à prendre passage, sans rien leur dire, à bord de la *Gina,* pour partager leur sort et affronter l'inconnu avec eux ; seule la crainte de désobliger Vincent et Siska, de rouvrir une blessure fraîchement cicatrisée au cœur de leur fille, et de porter ombrage à l'honnête Vingerhout, en un mot, de leur être un perpétuel objet de contrainte et de gêne, le retint à Anvers.

Puis, un vague aimant l'empêchait de dire adieu à sa cité ; il entretenait le pressentiment d'un devoir fatal à remplir, d'un rôle indispensable à jouer. Il ne savait lesquels. Mais sans se rendre compte des intentions que le destin avait sur lui, il attendrait son heure.

Sur la *Gina,* les noëls, les hourrahs, un fracas, un tumulte d'appellations dominaient les accords mêmes de la fanfare. On répondait ferme, à cœur et à poumons non moins dilatés, de la cohue massée sur le quai. Le navire et le rivage se donnaient la réplique, faisaient assaut de verve, de crânerie, de vaillance. Les casquettes volaient en l'air, des mouchoirs de couleur s'agitaient comme des pavillons bariolés les jours où les vaisseaux font parade.

Des femmes qui avaient l'air de rire et de pleurer à la fois, soulevaient leurs enfants sur leurs bras. Et plus le navire s'éloignait, plus les gestes devenaient frénétiques. Il semblait que les bras s'allongeassent désespérément pour s'étreindre et se reprendre encore pardessus les flots séparateurs.

A cause de son énorme tirant d'eau et de sa cargaison plus que complète, le navire resta longtemps en vue des regardants. Laurent en profita pour courir un peu plus loin à l'extrémité de la Tête de Grue, à l'entrée des bassins, afin de pouvoir suivre le bâtiment jusqu'au moment où il tournerait. Henriette était déjà descendue dans l'entrepont avec Jan Vingerhout. Siska et Pierket continuaient à lui envoyer des baisers ; il entendit la voix mâle et copieuse de Vincent lui lancer une dernière injonction à la force d'âme.

Mais, à chaque tour de l'hélice, Laurent se sentait perdre un peu de sa sécurité et de sa confiance. L'*Où peut-on être mieux* s'éloignait, s'éteignait, comme un murmure.

C'est de ce même promontoire que Paridael avait assisté, quelques années auparavant, à la féerie du soleil couchant sur l'Escaut. Aujourd'hui, il faisait gris, brumeux et trouble ; au lieu de pierreries le fleuve roulait du limon ; les levées du Polder étalaient des gazons jaunis ; la tristesse de la saison concertait avec celle des êtres. Le carillon lui parut plus sourd, et les mouettes d'autrefois, les prêtresses hiératiques et accueillantes, criaient, vociféraient comme autant de sibylles de malheur.

Lorsque la masse du bâtiment eut disparu derrière le coude de la rive de Flandre, Laurent continua de regarder la cheminée, un clocher ambulant pointé pardessus les digues ; puis, graduellement, ce ne fut plus qu'une ligne noire, et enfin, la dernière banderole de fumée se confondit avec la désolation de la brume de janvier.

Quand une petite pluie insidieuse et glaciale eut tiré le jeune homme de son hypnotisme, il constata qu'il n'était pas seul en observation à l'extrémité de ce promontoire.

Le curé de Willeghem cherchait encore à discerner le sillage et le remous de la *Gina*. Deux grosses larmes descendaient lentement de ses joues et il traçait dans l'air un lent signe de croix.

. . . .

CROIX PROCESSIONNAIRES

Nous roulions péniblement dans les ornières de la route sablonneuse et apercevions depuis longtemps les écrasants corps de logis du Pénitencier, lorsque mon compagnon me désigna du bout de son fouet quelques croix de bois noir groupées au milieu de la bruyère.

— Le cimetière des colons ! proféra-t-il. Et il ajouta en souriant : « Il y a douze croix. Il n'y en a jamais eu, il n'y en aura jamais une de plus... C'est beau l'administration. »

Puis redevenant grave et raccourcissant les guides : Là seulement le vagabond dort son premier bon sommeil. Les abeilles lui chantent leurs douces berceuses et la nature drape de violet — couleur adoptée pour le deuil des rois — la tombe du plus infime des mendiants !

Combien de dépouilles gueuses engraissent ce sol inculte : carcasses ravagées de routiers endurcis ou savoureuses pulpes de novices !... Pas plus que le couperet ne nombre les têtes des guillotinés, ces douze croix ne comptent les tertres qu'elles foulent en passant... A chaque décès le fossoyeur déracine la croix du plus ancien des douze derniers morts et en surmonte la nouvelle tombe anonyme...

Mieux que moi vous savez combien le paysan de cette contrée incline au merveilleux. Aussi les mouvements de ces croix dans la plaine ont-ils frappé son imagination. Il prétend que l'humeur nomade et réfractaire des bougres enfouis s'est communiquée, par une vertu diabolique, au signe rédempteur qui devait protéger leur guenille corporelle. C'est de leur propre gré que ces croix s'ébranleraient une à une pour rôder à travers la campagne. Croix errantes, croix en peine ! Elles arpentent la lande fée comme les batteurs d'estrade et les hors la loi tournaient dans le préau, ou viraient attelés à la meule du moulin. Le paysan leur a donné ce nom suggestif : Croix Processionnaires.

Moi-même en les apercevant aux heures ambiguës, complices des mirages et des hallucinations, je les confondis bien souvent avec une compagnie de corbeaux repus, frileusement serrés l'un contre l'autre.

Cette comparaison me hanta surtout il y a trois ans, pendant une épidémie de typhus qui faillit dépeupler tout le camp des bagaudes. Dans l'infirmerie, encore plus sinistre que les autres quartiers du Dépôt, pour cette raison que les horreurs du lazaret s'y greffent sur celles de la prison, toute la truandaille, tant les vieillards que les jeunes garçons, expiraient par totales chambrées.

Là-bas, dans les sablons, les macabres défricheurs ne faisaient que fouir et tasser la terre, que planter et déplanter les arbrisseaux de la croix. Mais ils avaient beau s'évertuer, le fléau chômait encore moins et leur envoyait tombereau sur tombereau d'engrais humain. Aussi mes douze corbeaux noirs n'avaient-ils jamais été à pareille curée !

Le carnage fut même tel qu'afin de ne pas alarmer les honnêtes villageois d'alentour, le directeur du Dépôt ordonna de ne plus procéder que la nuit à ces inhumations en masse.

Mais en dépit de la prévoyance administrative, les bergers noctambules, isolés dans la plaine, assistèrent à des apparitions terrifiantes :

Les Croix Processionnaires si lentes et si graves se mirent, une nuit, à courir comme des éperdues. Elles allaient tellement vite qu'elles prenaient à peine le temps d'imposer leurs mains noires sur les fosses fraîchement remuées. Elles trébuchaient contre les tertres, battaient des bras, tombaient pour rebondir aussitôt. Et leurs sournois porte-cierges, les feux follets, au lieu de les calmer et de les rallier, s'amusaient de leurs gambades et de leurs culbutes, exaspéraient leur panique en les enlaçant dans de livides spirales d'éclairs.

Aujourd'hui encore, lorsqu'on mentionne ce prodige, à la veillée, les fileuses récitent un pater et un ave pour les âmes du Purgatoire et les gars les plus résolus tirent de fiévreuses bouffées de leurs longues pipes de Hollande.

Cependant depuis que la *mortalité est redevenue normale,* comme disent les rapports officiels, les croix ont repris leur allure mesurée, elles se remettent à marcher lentement, résignées...

— Oui, murmurai-je à mon tour, en embrassant d'un regard presque nostalgique la plaine violette et le buisson des Croix Processionnaires ; oui, rappelez-vous les vers de Dante : *Tacendo e lagrimendo al passo che fanno le letane in questo mondo !*

LA PETITE SERVANTE

A Henri Maubel.

Petite servante de là-bas, servante novice, apportant dans tes hardes, dans ta chair, dans ta chevelure, sur tes lèvres, surtout au fond de tes grands yeux l'atmosphère vibrante et le ciel pensif du cher pays...

Annoncée et recommandée par maître Martens, un brave homme de notable, un matin, à la saison des faînes, la petite servante franchit notre seuil.

Un gars de Brabantsputte, un de ces marchands de paillassons et d'estères, qui colportent le lundi jusqu'à Bruxelles les produits de la maigre industrie campinoise et qui, allégés de leur rouleau de nattes, s'en retournent au clocher vers la fin de la semaine, avait piloté sa payse jusqu'à notre porte.

D'une voix un peu étranglée qu'elle s'efforçait d'affermir, la petite chargea son meneur d'un dernier bonjour pour la mère, le frère aîné et les petites sœurs.

— Entendu !

Le pacant nous tira sa casquette, fit remonter, d'un coup sec, la bricole à son épaule et s'éloigna en jetant son cri nasard et guttural.

Avant de déposer son modeste trousseau renfermé dans un mouchoir de coton rouge, elle promena ses grands yeux bruns couleur d'automne autour de la cuisine et dit simplement : « Je crois que je me plairai bien ici. »

Dans l'intonation de cet hommage, je démêlai de touchantes nuances.

J'y lus un appel à notre indulgence, le désir de s'acclimater, la vaillance d'un cœur de quinze ans qui doute un peu de sa force. Cela voulait dire : « Comme vous me paraissez de braves gens, si je me montre gauche ou dolente, au début, vous ne me brusquerez pas trop, n'est-ce pas, et patienterez en songeant que je ne suis qu'une enfant et que jamais auparavant, je ne quittai mon hameau ?... ».

Elle ajouta : « M. Martens m'a recommandé de faire honneur à son patronage et d'être très brave et très polie. »

Pour sûr qu'elle fit honneur à l'honnêteté des filles de Campine et à la confiance de M. Martens !

Dès ce matin, elle se mit au courant mais, malgré son activité, à l'heure des repas, elle bouda son assiette.

Le lendemain, nous lui trouvâmes les yeux rouges et le visage tiré.

— L'idée du toit maternel la tourmente, mais ce souci, qui prouve un bon cœur, ne durera pas ! nous disions-nous.

Les jours suivants elle montra la même énergie à la tâche, mais l'appétit manquait toujours, et ses fraîches couleurs de pivoine satinée pâlissaient.

Le samedi, sa tournée accomplie, le marchand de paillassons vint prendre de ses nouvelles.

Comme il s'éloignait, elle lui cria : « Surtout dites-leur que je suis très, très heureuse, et que je ne voudrais plus retourner à Brabantsputte. »

Et, comme fière de sa force d'âme, après avoir battu la porte, elle m'interpella avec volubilité :

— Vous avez entendu, Monsieur, celui-là répétera à ma mère combien je suis contente chez vous !

Brave petite ! Je me méfiai pourtant de cette crânerie. Je devinai qu'elle avait coupé court à son entretien avec ce brelandinier de Putte, rien que pour ne pas être tentée de reprendre le chemin des sapinières natales, car en redescendant à sa cuisine, elle ne se détourna pas assez vite pour me cacher des larmes qui perlaient dans ses longs cils de brunette et noyaient d'un embrun de novembre l'opulence septembrale de ses grands yeux.

L'après-midi, elle récurait allégrement le vestibule. De ma chambre je l'entendais distribuer de véhéments coups de brosse ; elle ne cessait de faire gémir la pompe et d'arroser les dalles à pleins seaux.

— Voilà qui va bien ! me disais-je. Elle a secoué sa nostalgie. Je ne serais pas étonné qu'elle se mît à chanter pour se donner du cœur à la peine !

La chanson, pourtant, se faisait attendre ; en revanche, le prélude devenait intempestif. A un moment, le vacarme m'empêchant de poursuivre mon travail, je descendis pour prier la trop gaillarde travailleuse de manier plus discrètement son attirail de brosses et de seaux.

Je m'arrêtai sur le palier. La pauvresse mêlait bel et bien la voix à son tintamarre.

Mais la triste chanson ! La déchirante complainte !

C'était pour étouffer le bruit de ses sanglots que la petite servante se livrait à un pareil sabbat. A la faveur du tapage je pus m'approcher d'elle sans qu'elle m'entendît venir.

— Eh bien ! dis-je, en lui touchant l'épaule, c'est ainsi qu'on s'habitue ?

Elle laissa choir ses ustensiles de travail, se couvrit le visage de ses mains, et, à travers une recrudescence de pleurs, elle m'avoua sa faiblesse, sa tant sainte faiblesse.

— Pardon, Monsieur... Lorsque je songe à *chez nous,* c'est plus fort que ma volonté et que ma force, il me faut crier ou j'étoufferais... C'est comme s'ils m'avaient attaché au cœur une corde sur laquelle ils tirent là-bas tant qu'ils peuvent... Ils tirent et ils finiront par me ramener à eux... sans quoi ils me décrocheraient l'âme... C'est stupide, je le sais. Aussi ce qu'on rira de moi au village !... Je n'en puis rien... Il n'y a pas de votre faute, non plus, à vous autres, allez ! Je suis bien traitée ! Oh oui, trop bien traitée ici !... Et pourtant, tenez, vous seriez meilleurs encore, Madame et vous, vous seriez le bon Dieu et la sainte Vierge, que je ferais tout de même mon paquet. Aussi, permettez que je m'en retourne, samedi, avec Franske... le colporteur de nattes... »

Il n'y eut pas moyen de la retenir. En vain, durant ces huit jours, touchée par nos bonnes paroles, nos égards, nos attentions essaya-t-elle de réagir contre son idée fixe.

Plusieurs fois, à brûle-pourpoint, elle nous signifia sa résolution de rester et de se montrer raisonnable. Mais au moment même où elle se ravisait, l'accent le regard, le pitoyable sourire démentait sa parole.

La veille même de la visite de son pays, irrésolue, ne sachant si elle obéirait à sa tête ou à son cœur, elle fit et défit vingt fois son humble bagage.

— Ma mère a promis de venir me voir ; eh bien ! j'attendrai son arrivée et l'accompagnerai si cela ne va pas mieux...

— C'est dit, alors ?

— C'est dit.

Une minute après cette convention, machinalement la possédée courait consulter la pendule, et trouvait déjà trop longues les heures qui la séparaient de l'apparition de Franske le libérateur.

Non, cela n'irait jamais mieux ! Inutile de nous confesser son manque de courage ! Nous la tenions quitte de son engagement.

Elle passa la dernière nuit et se leva bien avant le jour. Le marchand de paillassons ne se présentait jamais de fort bonne heure ; cela n'empêcha pas sa payse de tressaillir au coup de sonnette de la laitière.

Tout équipée, ses hardes à la main, elle attendit Franske, dans le vestibule. S'il oubliait de passer aujourd'hui ! S'il ne s'était pas encore défait de son rouleau ! S'il craignait de nous importuner ! Autant de suppositions lancinantes angoissant la pauvre petite, trop inexpérimentée pour se remettre seule en voyage et retrouver le chemin du clocher.

On sonna de nouveau, et ce fut enfin à lui qu'elle ouvrit...

Le gars ne fut pas médiocrement surpris de ce brusque changement de décision. Il plaisanta sa protégée, entreprit de lui faire entendre raison.

Ce grand blondin, à l'allure délibérée, connaissait mieux la ville ! Depuis cinq ans qu'il battait chaque semaine le pavé bruxellois, bricolant ses nattes dans les rues les plus écartées, si la capitale n'était point parvenue à le séduire ou à la corrompre, du moins avait-elle cessé de l'effaroucher.

Les sages exhortations du porte-balle ne persuadèrent point la petite. Plutôt que de rester, elle se serait cramponnée à lui comme à une bouée de sauvetage. Le gars en était tout confus et s'excusait pour elle ! S'il ne l'avait pas retenue dans l'entre-bâillement de la porte, elle partait sans nous dire adieu !

Je ricanais avec supériorité : « A-t-on jamais vu

pareille sotte ? Elle s'enfuit comme si la maison s'écroulait ! »

Pose, affectation, contenance empruntée que tout cela, mon bel ami !

Intérieurement, je pensais : « Je ne t'en veux pas de cette désertion, ma pauvrette. Et les tiens auraient tort s'ils se moquaient de toi ! Tu n'es pas seule à languir loin du terroir. Moi aussi, je me force, je compose mon visage. Je bûche et pioche avec fracas pour m'étourdir... Et si je m'agite et clame à la ronde, c'est afin qu'on n'entende pas saigner mon cœur... Comme toi, petiote, c'est quand j'ai l'air le plus faraud, le plus en train, que je suis sur le point d'éclater et de m'avouer vaincu...

« Chère petite, ma sœur en la sainte religion patriale, te rappelles-tu le jour où le gars de Brabantsputte t'apporta des nouvelles du hameau et des écarts à la frontière hollandaise ! Je vins vous relancer d'un air indifférent pour surprendre quelques bribes de votre conversation et m'informai, d'un ton détaché, des braves gens qui m'ont oublié ou ne m'ont jamais connu, mais qui « sont » de là-bas, portent des noms semblables aux nôtres, parlent le dialecte aimé, hantent les bruyères ou les alluvions où j'ai vécu ma meilleure, ma seule vie !

» Aussi puéril que toi, dans mon fanatique attachement, j'incline à croire le soleil et surtout les étoiles de la Campine différents de ceux d'ici, à moins que, comme moi, les astres exilés se renfrognent, se composent un visage énigmatique et cachent leur implacable souffrance sous un masque de froideur et de scepticisme...

» Franske disait : « Et le fils de la veuve Hen-
» drikx, du *Bon-Coin*, épouse Bella du sabotier... Les

» Marinckx ont tué leur porc samedi... Et Bastyns
» part pour la troupe et Machiels en revient... Et
» Nand, le louche, a été administré... Et, à présent,
» la fanfare joue le samedi chez Laveldom... »

» A cette gazette parlée du village, interrompue par tes récris naïfs : *Zou het ? Hoor'ye !* » (vraiment? écoutez donc !) — à ce chapelet de monotones racontars dévidé par le colporteur de nattes, surgissaient en moi des corrélations si émouvantes, si topiques...

» Ah ! j'aurais écouté cette dolente psalmodie des heures, de longues, longues heures, comme j'écoutais le vent dans les feuilles, les beuglements des bœufs et le son des cloches...

» Après le départ du gars, de cet indifférent, de ce canapsa, les livres me parurent plus fades, mes amis plus maniérés, mon métier plus insupportable et la ville plus fermée.

» Entre nous soit dit, chère petite, je suis aussi faible que toi. Le carnaval de la vie bourgeoise me navre de plus en plus ; mon masque et mon déguisement urbains commencent terriblement à me peser. Approche aussi pour moi le temps de retourner au pays coûte que coûte, ne fût-ce que pour m'en aller dormir, tout près de l'église, tu sais au pied de la tour ardoisée, son bonnet pointu planté de travers, qui fait signe les dimanches, par-dessus les rideaux d'arbres, aux traînards qui vont manquer l' « élévation »; — tu sais, l'endroit où les bien-vivants, les jeunes blousiers se confient leurs amours et parlent à voix basse pour ne pas tenter les morts... »

LE COQ ROUGE

Rik, un orphelin de dix ans, dont personne ne veut comme valet, à cause de sa mine effrontée et de sa mauvaise réputation, est recueilli par le fermier Boljans et sa femme, deux êtres compatissants et charitables.

... Rik était-il réellement si mauvais que cela ou son diable de caractère farouche et turbulent l'emportait-il sur ses bonnes intentions ; les exigences de son tempérament de sauvageon avaient-elles raison de sa reconnaissance ? Mais il justifia les pronostics les plus désobligeants des villageois, au point que la digne bazine Boljans regrettait souvent elle-même d'avoir cédé à un mouvement de pitié.

— Tu le vois bien ! disait le baes. Quelle bénédiction !

— N'importe. Patientons encore ! faisait la bazine.

Et ils poussaient cette patience jusqu'à reprendre le petit lutin à la fin de l'année.

Ce n'était pourtant pas faute de corrections que ce rejeton de traîne-les-routes demeurait différent des autres gamins du village. Sans cesse les gifles lui pleuvaient sur la caboche, et les coups de pied au bas du dos. A tort ou à raison, tout le monde venait se plaindre de lui à Boljans, et à chaque dénonciation, il essuyait une souffletade ou une fessée.

Clic, clac ! C'était le curé à qui on avait volé des pommes et *on* ne pouvait être évidemment que ce damné bohémien, car aussi gourmands et picoreurs que fussent tous les autres enfants de la paroisse, aucun n'aurait osé escalader le mur du presbytère et commettre un vol presque sacrilège.

Clic, clac ! De la part du bourgmestre dont l'espiègle avait chassé les poules jusqu'à les faire sauter dans la mare, où l'une d'elles s'était noyée !

Clic, clac ! Parce qu'au lieu de surveiller les vaches, Rik les laisse constamment s'échapper et paître sur les prés de Guidon. Et chaque mise en contravention vaut une amende à Boljans et une raclée à son vacher.

Avec cela, sale et négligé, fait comme un malandrin, ou mieux, comme la poussière des routes qu'avaient battues ses parents. Plus souvent vautré par terre et dans l'herbe que planté sur ses jambes. La bazine passe son temps à rapiécer ses nippes et il aurait l'air de porter l'habit d'Arlequin si bientôt toutes ces pièces de couleur et d'étoffes diverses ne s'enduisaient d'une uniforme patine de glèbe et de fauve.

Une chose indispose surtout le village contre lui : c'est une sorte de fierté assurément déplacée chez un être si chétif et d'extraction si louche. Il restera souvent des jours sans adresser la parole ou même sans répondre à qui que ce soit. A ces accès de mutisme succèdent des crises de turbulence et de joie désordonnée. S'il éclatera d'un rire sauvage et intempestif en entendant raconter des histoires tristes, en revanche il opposera une physionomie presque affligée à celui qui prétendait narrer des farces. L'heur ou le malheur d'autrui ne le touchait en rien.

Aux veillées il ne frémit point en entendant la légende du « Berger incendiaire » ou des histoires de batailles. Au contraire, plus le conte est sombre et tragique, plus l'aventure est sanglante et belliqueuse, plus Rik respire allégrement et ses yeux brillent alors d'un éclat intrépide qui le fait ressembler aux héros ou même aux misérables qu'il envie.

Puis il est têtu à désespérer les pierres. Coupable, il n'avouera jamais sa faute ; innocent, il dédaigne de protester et il se laissera battre comme un dizeau de blé par son baes, sans répandre la moindre larme, sans accuser trace d'émotion. Mais si un autre que Boljans s'avise de porter la main sur lui, il regimbe comme un jeune loup, à coup de patte, de griffe ou de dent, son adversaire fût-il bien plus fort que lui et, lorsqu'il a le dessous, il se laissera écharper plutôt que de se rendre ou de crier merci.

Entre tous ses ennemis, il n'en comptait pas de plus inconciliable que le brutal Guidon. Le vacher des Boljans étendait même sa haine à la fille unique de Guidon, la petite Annette, une douce blondine, inoffensive et timide, ayant à souffrir des mauvaises humeurs et de l'intempérance paternelles. Lorsque Rik rencontrait la petiote aux champs, il lui barrait le passage, lui faisait d'effrayantes grimaces et ne la laissait passer qu'après l'avoir taquinée de cent manières. Une fois qu'elle revenait de traire les vaches, il renversa ses jarres de lait ; une autre fois, il la jeta dans un fossé d'où il la retirait ensuite couverte de boue jusqu'à la ceinture.

« Ah ! c'est donc vrai que vous êtes si vilain et si méchant que tous le disent ! » Et il y avait dans ce reproche de la blondine, s'interrompant de pleurer et de sangloter, comme une nuance de regret et de déception qui troubla le tourmenteur. Toutefois, il lui tourna le dos et s'éloigna en sifflant à la façon des merles.

A mesure que Rik grandissait, le maître des « Sureaux » avait tenté de l'initier aux diverses besognes d'un bon valet de ferme. Mais à toutes ces œuvres, le bizarre gamin apportait la même maladresse ou la même négligence. Il va courir sa quinzième année et, lorsqu'il guide la charrue, il trace des sillons aussi capricieux que la marche du fermier des « Cigognes » après les libations dominicales.

Au moins ferait-il un passable batteur en grange ? Après un essai, Boljans le renvoya à ses vaches : en jouant du fléau il perdait la mesure ou tapait à faux contrariant, plutôt qu'il n'aidait, le manœuvre attelé avec lui à cette besogne.

Ce fut bien pis, l'été, quand son baes l'essaya comme moissonneur. Partout où avait passé le piquet de Rik, l'éteule avait près d'un pied de long ! « C'est une honte ! Une véritable honte ! » ne cessent de lui répéter ses bienfaiteurs.

Ils étaient même sur le point de renoncer à ses services, lorsqu'un événement le leur rendit presque cher. Pour se rendre à une pièce de terre assez éloignée des « Sureaux », Boljans s'avisa de monter un étalon qui n'était plus sorti de l'écurie depuis quinze jours. A peine au dehors, la bête s'effraya et fit un si brusque écart que Boljans fut jeté hors de la selle. Avant qu'il eût le temps de raccourcir les rênes et de retrouver l'équilibre, le cheval s'emporta si bien que le cavalier, un pied engagé dans l'étrier, la tête en bas, restait suspendu, ballottant comme un sac de farine, aux flancs de sa monture. A tout instant, il allait s'ouvrir le crâne sur le pavé ou se le faire écrabouiller par un coup de sabot. Le cheval lancé à fond de train et l'homme en détresse passèrent, sur la route, devant la prairie où Rik polissonnait en gardant les vaches. Il entendit les clameurs de la bazine Boljans et des gens de la ferme courant, éperdus, à la chasse de l'animal.

— Arrêtez ! Arrêtez ! criaient-ils aux paysans qui arrivaient en sens inverse. Mais du plus loin que ceux-ci voyaient approcher cette trombe vivante, soulevant un tourbillon de poussière et arrachant des éclairs au pavé, pris de panique, ils se hâtaient de se jeter sur les accotements et de se garer derrière les arbres.

Aussitôt qu'il eut avisé le cheval et reconnu son baes, Rik n'hésita pas un instant à enjamber le fossé et à se planter résolument au travers de la route pour disputer le passage à la bête effrénée. Au moment où, écumant, les naseaux frémissants, elle fondait sur lui, il ne se détourna que tout juste assez pour se jeter à sa tête. Saisissant les rênes d'une main, se cramponnant de l'autre à la crinière, il se roidissait, pesait de toute sa masse, et ses pieds nus touchant le sol, les orteils raclaient le pavé et s'efforçaient de s'y incruster comme les dents d'un frein.

Le cheval enleva encore ses deux maîtres sur un parcours de quelques portées d'arbalète, puis sa course échevelée se ralentit et bientôt il ne fit plus que les traîner. Les autres valets arrivèrent alors à la rescousse de Rik et achevèrent de maîtriser la fougueuse monture. Il était temps. Lorsqu'on dégagea Boljans, il avait le front écorché et plusieurs contusions au crâne ; heureusement le cuir seul était entamé. Rik était peut-être plus mal arrangé encore ; ses pauvres pieds, si calleux et si durillonnés cependant, à l'épreuve des ronces et des cailloux du chemin, avaient été mis en lambeaux et ne représentaient que des moignons sanglants.

Cette prouesse conquit au petit vacher l'estime et le respect de beaucoup de villageois, mais ne suffit pas à lui rallier leurs sympathies. Son courage, qui les humiliait, fut taxé de témérité par les poltrons et les envieux. S'il avait risqué sa vie, ce n'était point par amour pour son baes, c'était parce qu'il n'attachait aucun prix à l'existence, un présent de Dieu, dont la créature humaine ne saurait être assez parcimonieuse et jalouse ! En somme, il avait agi en désespéré et son prétendu héroïsme ne passa bientôt plus que pour une tentative de suicide.

Depuis qu'il a surpris le secret de la petite Annette, que son père, le brutal Guidon, le fermier des « Cigognes », rudoie à tout moment, Rik est devenu moins turbulent, sinon plus travailleur.

Le dimanche de la kermesse, il donna suite à un projet qu'il caressait depuis longtemps et dont il ne s'ouvrit à personne. Après la soupe de midi, il se fit le plus brave qu'il pût, mis sa belle culotte de drap noir, un *kiel* (1) flambant neuf, piqué de soie bleue à l'encolure et aux poignets, une haute casquette de moire, et le gourdin à la main, il s'engagea dans l'enclos des « Cigognes », décidé à obtenir d'Annette qu'elle l'accompagnât le soir à la danse.

Guidon, attiré par les aboiements du chien, intima, du seuil de la porte, à l'intrus de rebrousser chemin.

— Qui t'appelle ici, maudit bâtard ? Veux-tu bien t'en aller et vite...

Rik continua bravement, décidé à passer une fois pour toutes sur la mauvaise humeur du père d'Annette et même à se le concilier.

— As-tu compris ou je lâche mon chien ?

Et comme Rik marchait toujours, le sourire aux

---

(1) *Kiel,* blouse, sarrau.

lèvres, le fermier détacha, en effet, le molosse qui tirait sur sa chaîne. Aussitôt la bête se rua sur Rik avec une telle impétuosité qu'elle lui fendit la culotte, depuis le genou jusqu'à la cheville.

L'attaque avait été si brusque que Rik n'avait pu se mettre sur la défensive ; mais comme le dogue allait le mordre de nouveau, il lui assena un terrible coup de gourdin qui l'envoya rouler, aux trois quarts assommé à quelques mètres de là.

Le fermier des « Cigognes », qui avait ingurgité force alcool après la messe, se porta, le couteau à la main, au secours de son dogue : « Attends, misérable, je vais te crever à ton tour ! » Rik l'attendait impassible, un peu pâle, les yeux dardés dans les siens. Au plus fort des aboiements et des invectives, Annette s'était montrée sur le seuil de la ferme et elle tordait vers Rik des bras suppliants. A sa vue le jeune homme résolut de ménager l'ivrogne. — Je me contenterai de parer les coups ! se dit-il.

Cependant d'autres personnes avaient été appelées par le tapage, entre autres le fermier Boljans, et au moment où Guidon s'élançait, le couteau levé, sur Rik, il empoigna le forcené et réussit à le désarmer non sans se blesser lui-même. Deux ou trois autres témoins de cette scène s'étaient jetés de leur côté sur Rik et, parvenus à lui arracher le bâton avec lequel il décrivait de terribles moulinets, ils s'échignaient à le ramener au logis. Mais à présent la fureur avait pris possession de l'âme du garçon et oubliant Annette, pour ne ressentir que l'insulte et l'agression dont il venait d'être victime, il se débattait pour courir sus à son ennemi et ne cessait de crier en se tournant vers lui : « Ah ! Guidon, prends garde ! Je ferai chanter le coq rouge sur ton toit ! ».

Boljans l'ayant rejoint aux « Sureaux », le trouva

pleurant de rage, la poitrine pantelante, farouche comme un désespéré qui rumine un mauvais coup.

« Ecoute, mon garçon, lui dit-il, c'en est trop, nous ne pouvons continuer à vivre ainsi. Non seulement tu ne me rends aucun service, mais tu me vaux quantité de tracas. Par ta faute, me voilà devenu l'ennemi du voisin, avec lequel nous ne nous entendions déjà que trop mal... Autrefois, tu m'as sauvé la vie ; sans moi il te saignait comme un porc. A présent nous sommes quittes ! »

Le pauvre Rik ne répond rien. Décidément, il n'aura jamais la moindre chance ! Il sera toujours haïssable et maudit ! Il roule un regard douloureux vers la bazine, espérant qu'elle interviendra selon sa coutume. Mais cette fois elle ne dit mot, elle se détourne même.

Alors il monte rassembler ses nippes et quitte la ferme sans un adieu, sans dire où il va, sans regarder derrière lui.

Cependant les Boljans se sont couchés. Généralement la conscience à l'aise, ils s'endorment tout de suite, mais ce soir ils demeurent éveillés, à se retourner sur leur couche, plus inquiets qu'ils ne se l'avouent l'un à l'autre du sort de leur valet, éprouvant presque du remords et n'osant parler de lui de peur de s'accabler de mutuels reproches.

. . . .

Comme les Boljans viennent de recouvrer enfin le calme et l'oubli du sommeil, tout à coup une clameur et une lumière les réveillent.

Ce n'est pas encore le chant du coq, ce n'est pas non plus la clarté rose de l'aube.

O ciel ! c'est un autre coq qui chante. Celui-ci a la voix du tocsin et le plumage de l'incendie, et ce plumage est si rouge qu'il colore de ses reflets jusqu'aux parois de la soupente où dorment les Boljans et qu'il a traversé leurs paupières ! O ciel ! C'est la ferme des « Cigognes » qui flambe.

Boljans et sa femme, à peine vêtus, lui, de ses chausses, elle, d'un jupon de dessous, se précipitent au dehors. Pauvre Guidon, et surtout pauvre Annette ! Qui les sauvera ? Qui bravera les atteintes de ces flammes déjà maîtresses de tout le bâtiment. Pour sûr, le feu a pris de tous les côtés à la fois.

Mais tandis que les uns se taisent, immobiles, glacés d'horreur, que d'autres crient et se démènent, quelqu'un s'est résolument lancé dans la fournaise... Son action a été si prompte que les assistants n'ont pas même eu le temps de le reconnaître. Quelques secondes... Le voilà, portant dans ses bras Annette évanouie. Mais c'est lui ! Qui donc ? Rik le vaurien ! Le vacher des Boljans ! Hourrah ! Vive Rik !

Ecartant la foule, il dépose la jeune fille sur une botte de paille et indifférent aux cris de jubilation qui l'exaltent et qui publient son héroïsme, il guette le retour à la vie de celle qu'il croyait haïr et qu'il aime.

Mortellement angoissé, il épie un mouvement des paupières et des lèvres ; l'oreille appliquée contre la poitrine de la jeune fille, il cherche à surprendre les battements de son cœur. Mais voilà que tout à coup aussi rapidement que les souffles du ciel, le courant du sentiment public a tourné : les noëls se transforment en haros, les acclamations en huées !

— Oui, c'est lui ! C'est lui ! A mort l'assassin ! L'incendiaire ! Le lâche ! Tue ! Tue ! Haro ! *Hawourt !*

Car les villageois se sont rappelé la querelle sanglante du garnement avec le père d'Annette, et la sinistre menace qu'il proféra à plusieurs reprises : « Je ferai chanter le coq rouge sur ton toit ! »

Et c'est qu'il a tenu sa diabolique parole.

Le coq a chanté. Il chante même encore ! Secouant sa crête flamboyante, fantastiquement dentelée, le voyez-vous courir et bondir, étoiler de ses ergots de feu la ferme, la grange et l'étable ! Il chante, le coq rouge ; il triomphe !

C'est ce maudit vagabond qui l'a lâché. Ah, il chante son hymne atroce de misère et de mort, de sang et de famine, le coq dévorateur échappé des basses-cours de l'enfer ! Il a chanté le trépas du fermier et de ses domestiques, embrasés et étouffés sous ses ailes de feu et son cocorico néfaste a empêché qu'on entendît leurs cris de désespoir...

Et personne pour imposer silence au monstre. Il ne se taira que lorsqu'il aura éparpillé en paillettes d'or, en fumée et en cendre, les derniers vestiges de la ferme de Guidon.

Mais au moins pourra-t-on tirer vengeance du suppôt d'enfer qui lui a donné la volée !

— A mort ! A mort ! Arrêtez-le !

Rik n'entend toujours pas. Tout entier à scruter le retour à la vie de la bien-aimée.

Déjà les forcenés le bousculent, des poignes l'agrippent rageusement pour le massacrer. Il ne sent pas plus qu'il n'écoute... Et il n'aurait pas encore entendu ce concert de malédictions si elle n'avait enfin ouvert les yeux. Et c'est le regard d'Annette qui lui fait comprendre ce que hurle et vomit autour de lui la foule ivre de représailles.

Annette a entendu avant lui et elle a cru aussitôt la voix publique...

Rik lit l'horreur et l'anathème dans ses yeux d'orpheline, et ces mains fraternelles, ces mains providentielles, ces mains de salut qui viennent de la disputer aux mortelles caresses de l'incendie, et qui la palpaient comme un trésor précieux et suprême, lâchent prise et la laissent retomber, de nouveau inanimée, sur la litière.

Annette l'a jugé avec les autres ! Il ne songe point à tenter une justification, une résistance, à opposer ne fût-ce qu'un mot ou un geste à ce populaire prêt à l'écharper.

Il passe pour infâme. Soit! Du moment qu'elle doute de lui, il n'est plus ce qu'il voulait être, ce qu'il est. Il devient tel qu'elle le juge. Puisqu'il désirait être, ne compter qu'à ses yeux...

Le garde champêtre et les gendarmes ont traversé la cohue. A la première sommation, lui-même tend les mains à leurs entraves, après s'être détourné pour ne jamais, ne jamais plus la revoir. Presque radieux, s'enorgueillissant de la haine qui l'entoure, il se laisse emmener ; fier surtout d'être seul à savoir la vérité.

Déclaré coupable et condamné à l'internement dans une maison pénitentiaire jusqu'à sa majorité, Rik est l'objet de la réprobation de tout le village. Un jour pourtant on apprend qu'un récidiviste, au moment de mourir, s'est reconnu l'auteur de l'incendie. Le remords peu à peu s'empare des villageois dont l'exécration se mue en un véritable culte pour leur victime. Rik, dans l'intervalle, s'est échappé de prison, mais on ignore ce qu'il est devenu.

Au village on s'étonnait de ne pas voir revenir l'exilé. S'il vivait, que ne s'empressait-il de reparaître au grand jour, pour jouir de la confusion de ceux qui s'étaient acharnés à sa perte et l'avaient lâchement accablé !

Annette et la bazine Boljans firent force neuvaines, elles se rendirent même en pèlerinage à Brasschaet, où existe un sanctuaire fameux consacré à Saint Antoine de Padoue, le patron des égarés, celui *qui fait retrouver les trésors*.

En gérant les biens d'Annette communément avec les leurs, les Boljans arrondirent l'héritage de leur pupille.

La ferme des Cigognes avait été dégrevée peu à peu, mais depuis sa reconstruction par les soins des Boljans, les gens du pays l'avaient débaptisée et ils l'appelaient à présent « le Coq Rouge » en souvenir de l'incendie.

Annette, âgée de vingt-deux ans, était devenue une héritière et beaucoup de jeunes gens rêvèrent de l'épouser. La douleur avait amati et spiritualisé des formes qui sans cela eussent été par trop gourdes et plantureuses. Son visage acquérait une distinction et un galbe que ne possèdent généralement point les beautés villageoises.

Elle menait une vie de recluse, de béguine, toujours préoccupée de l'absent et soignant les dignes Boljans avec une tendresse filiale.

Combien de kermesses se sont passées, combien de danses a-t-elle écoutées de sa chambre où elle prolongeait de pieuses veillées ! Le dimanche elle ne sortait que pour se rendre aux offices. Si son Rik ne revient pas, si Dieu lui refuse cette grâce, alors elle ira le chercher au ciel ; il faudra bien qu'elle finisse par le retrouver.

D'abord dépités, les poursuivants éconduits s'étaient moqués de cette dévote et l'avaient même surnommée

« la *Poule du Coq Rouge* », mais dominés par le prestige de cette fidélité et de cette douleur, peu à peu ils considérèrent Annette comme une créature sacrée, une femme élue, auprès de laquelle toute démarche amoureuse eût été une profanation. Les plus cupides et les plus entreprenants se désistèrent. Nul ne s'obstina à marcher sur les brisées du disparu.

Aux « Sureaux », la vie d'Annette et de ses protecteurs revêtait une grandeur, une importance auguste. D'honnêtes gens qu'ils étaient, ces Boljans devenaient de saintes gens.

Une voix occulte leur garantissait le retour de Rik. Sans enfants, ils résolurent d'abandonner leurs biens à l'orpheline, après lui avoir donné l'orphelin pour époux. Mais ils ne dirent encore rien de ce délicieux rêve d'avenir à l'inconsolable.

La ferme contractait une vertu singulière. Le prestige des maîtres se communiqua aux domestiques et jusqu'aux choses. Les trivialités et la licence disparaissaient des propos et des gestes. On eût dit ce chaume imprégné d'une présence céleste. Ils communiaient avec la douleur, mais aussi avec l'espérance. Il est de ces intérieurs évangéliques qui magnifient jusqu'au symbolisme les simples travaux de la terre. Chez les Boljans on se serait cru chez un de ces « maîtres de la vigne » dont nous entretiennent les paraboles du Christ.

Aussi le village considérait-il cette ferme avec autant de respect que l'église. Ils en attendaient la toute-puissante médiation qui les réconcilierait avec Dieu. C'était là, par la pénitence et le remords d'Annette, que s'expiait leur commune injustice.

Peu à peu le charme s'étendit à la paroisse entière. L'atmosphère était prête : tiède, onctueuse et sainte.

Une bonté irradiante saturait la contrée. C'était bien le berceau prédestiné où devait s'accomplir un acte de justice de la nature inconsciente.

Une caresse, une douceur suprême lénifia certaine vesprée de juillet. Il faisait un recueillement de pâmoison mystique, délicieux jusqu'à la navrance, tendre comme les larmes aux joues des mères qui pardonnent.

S'il est des pressentiments de malheur qui conduisent les fluides éléments et les ambiances, il est aussi d'occultes messagers, annonciateurs plus subtils encore des grâces et des bonnes nouvelles. La voix du rossignol se fondait en de mélodieuses rosées, le grillon n'avait jamais été plus musicien et les arbres tremblaient ainsi que des fibres de harpes prophétiques.

Au degré de sainteté où en étaient arrivés les habitants des « Sureaux », ils devaient être les tout premiers sensibles à une telle langueur...

Qui s'avançait dans cette paix lumineuse ? Un grand garçon basané, presque bronzé, la lèvre fournie d'une moustache épaisse, l'allure dégagée, portant dans sa personne quelque chose d'exotique, voire de légendaire.

Tous le reconnurent. Ils firent un grand cri, incapables d'ajouter un mot, et se portèrent à sa rencontre. Il les reconnaissait aussi, les nommant à tour de rôle, de sa noble voix grave, comme les saints d'une litanie.

C'était bien le village, *son* village, tel qu'il l'avait quitté, les mêmes sentiers, la même bruyère florissante, la même petite tour en cône tronqué regardant par-dessus les tilleuls de la place.

Il ne l'avait racontée qu'à l'aubergiste, à l'entrée

de la paroisse, et tous savaient déjà son histoire : son exode aux Indes, après son évasion, les combats surhumains où il voulait mourir, un bout de vieux journal qui lui apprend son innocence juridique, le congé que lui accorde son capitaine touché par le récit de ses malheurs...

Emerveillé, le village lui faisait escorte, mais discrètement, le suivant à distance ; ils auraient voulu baiser la trace de ses souliers...

Le sacristain s'était mis à sonner les cloches qui dans le soir amortissaient leurs tintements. Ainsi bourdonnent très doucement les cloches au bord de la mer. On les dirait noyées de larmes, enflées de sanglots. Et ces cloches qui avaient sonné le tocsin et proclamé son anathème, semblaient repenties, elles aussi, et le suppliaient de leur pardonner, de leur être miséricordieux !...

Aux « Sureaux » la maisonnée s'agenouillait comme à l'angélus. Annette éprouvait une terreur délicieuse.

Par la fenêtre ouverte, elle le vit approcher. Avec les Boljans elle se précipita au dehors. Il pressait le pas, car il la voyait défaillir. Elle voulut se jeter à ses genoux, mais il lui ouvrit les bras et délicate elle semblait s'enrouler autour de lui, avec des grâces et une faiblesse de liseron, toute blanche, plus blanche encore que la fileuse de neige... Elle se sentait pardonnée, chérie, indispensable.

Il la tient pour ne plus la quitter.

Ce qu'il y a d'eucharistique dans le couchant, ces rayons tièdes, câlins et fervents, dégage moins d'onction que le regard dont il enveloppe l'aimée. Et toute blanche et lumineuse elle ne représente que l'ombre de cette chaleur du pardon !

LE PÉNITENCIER DE POULDERBAUGE

Doux vagabonds,
Filous en fleur,
Mes chers, mes bons.
Paul VERLAINE.

J'aurai trouvé ma voie. Il y en a qui deviennent gardes-malades, frères cellites, sœurs de charité dans les hôpitaux : moi je me suis fait nommer infirmier dans une maladrerie morale. J'ai le grade de major ou de surveillant de deuxième classe (douze cents francs de salaire) dans l'Ecole de Bienfaisance de Poulderbauge. Cet euphémisme administratif désigne une prison pour de tout jeunes détenus : orphelins sans feu, sans gîte, enfants naturels trouvés ou abandonnés, apprentis chômards réduits à la mendicité, au vagabondage, au vol, et mis par les juges à la disposition du gouvernement jusqu'à leur vingt et unième année, en tout six cents enfants et adolescents.

Quelle consolation de me rendre socialement utile ! Sois béni, mon digne Bergmans qui m'obtins cet emploi que je qualifierai de sacerdotal, tant je me sens la vocation d'un rebouteur d'âmes juvéniles. Désormais, mes efforts tendront à moraliser ces jeunes détenus, à les amender, à les faire rentrer dans la norme et le droit chemin.

. . . .

— Voyez, leur dirai-je, à ces petiots, je sais moi-même par expérience, ce qu'il en coûte de regimber contre l'ordre et la règle. Combien j'en ai vu mal finir de pauvrets de votre âge ! Soumettez-vous, c'est ce que nous avons de mieux à faire. Apprenez un bon métier et devenez plus tard des ouvriers laborieux, sobres, économes, pacifiques, bons serviteurs de la société tutélaire.

Ah, je me réjouis à l'idée d'apprivoiser et de domestiquer ces jeunes fauves, pour leur plus grand bien et pour ma propre rédemption.

D'ailleurs, ici, je me retrouve dans mon élément, les figures me rappellent en plus corsé mes faubouriens de Bruxelles. Mais si ces jeunes colons me sont chers comme mes élus ou, plutôt, mes anathèmes d'autrefois, je travaillerai à leur salut à présent et je les arracherai à la perdition. C'est de grand cœur que je partage la captivité de cette trouble adolescence. Je ne regretterai aucun des plaisirs et des spectacles de la vie libre. Jamais je ne me blaserai sur les distractions mélancoliques et les devoirs sévères qui m'attendent en ces ateliers, ces chauffoirs et ces préaux.

Si quelque chose était fait pour m'inquiéter, ce serait précisément ce beau zèle dont je me sens enflammé, cette sorte de volupté que je puise dans l'expiation de mes erreurs.

Est-ce bien une expiation ?...

Aussi, chaque matin, en me levant, je me formule mon programme et je prie :

« Mon Dieu, dispensez-moi la force de remplir mon rôle piaculaire ; ne m'induisez plus en tentation, Seigneur ! Faites que j'abjure pour toujours cet esprit d'insubordination et de vanité qui perdit les plus beaux de vos anges ! Accordez-moi, ô Providence, de contempler désormais la création et les créatures par les yeux de la commune sagesse ! *Amen.* »

Poulderbauge est un vieux château historique converti en pénitencier comme beaucoup d'autres habitations seigneuriales ou d'abbayes de ce pays. Le corps de bâtiment principal, reconstruit au XVIIe siècle, présente encore de jolis morceaux dans le style Louis XIV, notamment son ample toit à la Mansard et deux élégants pavillons. De la construction médiévale, il ne subsiste qu'un donjon isolé, asile des corbeaux et des rats, servant parfois de prison à nos pensionnaires dans les cas très graves. A l'ancien manoir se sont ajoutées, à mesure que la colonie florissait (non, plus d'ironie, n'est-ce pas ?), des annexes et des dépendances. L'ensemble de ces édifices s'entoure de fossés alimentés par les eaux du Démer. En un endroit, derrière le château, ces fosses s'élargissent jusqu'à représenter un vaste bassin au milieu duquel flotte ce qu'ils appellent un navire-école. A bord de ce trois-mâts, une centaine d'élèves mousses s'initient à la manœuvre sous la direction d'un ancien contremaître de la marine royale.

Malgré le vandalisme administratif, l'architecture du château préserve en partie son grand air aristocratique. De l'intérieur, il n'y a rien à dire. Les éternelles salles blanches ou ocre des casernes, des hôpitaux et des prisons. Le même mobilier sommaire et banal, sans caprice et sans imprévu. Des ergastules à peine plus viciés que les ateliers des travailleurs libres. Ni tableau, ni gravure. Parfois un Christ en plâtre, un Sacré-Cœur en chromo.

Quelques jours avant mon arrivée, aux caissons et aux trumeaux d'un salon décoré autrefois par un élève de Boucher et devenu un réfectoire, la blondeur rosée des déesses et des amours risquait de timides provocations et souriait à travers les haillons de leur linceul de chaux. Nos polissons reluquaient ces joliesses. Vite on a requis les badigeonneurs.

Mais la vivante quoique prisonnière jeunesse passionne les maussades locaux, comme elle attendrit et humanise en quelque sorte la solennité du pays d'alentour. Sans nos petits correctionnaires, la contrée serait à peu près déserte. Elle devra sa fertilité future à ces défricheurs malgré eux. Et pourtant, nous semblons faire le vide autour de nous. La quarantaine, l'interdit se prolonge même au delà de la tombe : morts, les colons ne vont point jusqu'au cimetière du village dont les premiers feux ne commencent à s'éparpiller qu'à deux lieues du château. Nos pauvres petits défunts continuent à être parqués entre eux, comme de leur vivant, dans un coin isolé de la plaine indiqué par une demi-douzaine de croix noires. Mais la bruyère se charge de fleurir opulemment cette sépulture des jeunes parias et, en toute saison, elle la drape de violet comme pour le deuil des rois ! (1)

C'est Anvers et Bruxelles, surtout Bruxelles, qui fournissent le plus de pensionnaires à Poulderbauge. Il nous en arrive de telles rafles qu'on semble les avoir « pressés » dans leurs sentines, comme on recrutait autrefois les matelots. La brusque métamorphose de ces enfants du pavé en de petits paysans contribua pour beaucoup à l'impression étrange que j'éprouvai en arrivant ici. La physionomie malicieuse et les allures dégingandées de ces citadins endurcis contrastent avec leur accoutrement de valet de ferme. Même lorsque le plein air les a un peu halés et lors-

---

(1) Voir *Croix Processionnaires* dans *Cycle Patibulaire.*

que le farineux régime alimentaire les a légèrement bouffis, ils ont toujours la mine de paysans plus précoces et plus raffinés que ne le seraient de véritables villageois à leur âge.

. . . .

Il me semble retrouver mes voyous bruxellois un jour de Mardi Gras où on me les aurait déguisés en palefreniers, en porchers, en garçons de charrue, voire en mousses et en pasteurs, d'autant plus que leur chapeau de paille à ruban leur donne un faux air bucolique de berger d'opéra.

Les jours de la semaine, ils portent la même blouse bleue lâche et flottante comme le sarrau des Campinois ; le dimanche, lorsqu'ils en endossent une propre, ils la serrent d'une ceinture noire à boucle de cuivre. Les mousses renfoncent leur blouse dans leur pantalon. Pour tous, celui-ci est de drap noir les jours de fête et de coutil les autres jours. Généralement, ils ont un foulard rouge au cou.

Leur uniforme, qui n'est pas laid en somme et qui se façonne et s'assouplit assez vite à leurs mouvements, me plaît presque autant aujourd'hui que leurs guenilles de velours autrefois.

J'étais à peine installé de quelques jours qu'une première déception m'attendait. Moi qui sollicitai comme une faveur le droit d'instruire ces pauvrets et qui accourais ici le cœur gros de sympathie et vibrant d'enthousiasme, je m'imaginais rencontrer parmi mes collègues des êtres disposés aussi charitablement que moi, des sortes d'illuminés et d'apôtres. Pas moyen de tomber sur des fonctionnaires plus étroitement professionnels ! Mais il y en a de malfaisants et de féroces. D'anciens sous-officiers, épaves et rebuts de l'armée, échouèrent ici après un stage de gardes-chiourme dans les compagnies disciplinaires. Ratés, ils se vengent de leur disgrâce sur le dos des colons. Souvent, à les voir, plus mornes et plus lugubres que leurs souffre-douleur, j'ai l'impression de me trouver dans un pénitencier de fonctionnaires. Leur uniforme rappelle celui des gabelous. Ils prisent ! Il y en a qui tricotent !...

De la gare de Poulderbauge, les boues de la grande ville sont transportées comme engrais à la colonie par les tombereaux de l'établissement. Nos jeunes gens se disputent le plaisir d'aller prendre livraison de la pouacre marchandise. Cela leur fait quelques heures de liberté. Ils sifflotent gaîment tout le long de la route, car au village ils verront d'autres figures.

L'autre matin, un de mes pupilles, que sa bonne conduite avait fait envoyer là-bas, est abordé à la station par un voyageur élégant qui ne voyant en lui qu'un petit paysan ordinaire, mais à la mine plus ouverte et plus intelligente que celle de la plupart des naturels de la contrée, lui demande la distance et le chemin jusqu'au château d'un des gros propriétaires. Le jeune homme s'offre à marcher de conserve avec ce monsieur jusqu'à certain carrefour, d'où il lui sera facile alors de trouver sa route. L'étranger, à qui la physionomie et l'allure du petit reviennent de plus en plus, s'empresse d'accepter, quoique mon gaillard ait cru devoir le prévenir en riant du rebutant charroi qu'il leur faudra escorter. Qu'à cela ne tienne ! Il fait beau ! Excellente promenade ! C'est aussi l'avis de la noble dame qui accompagne le voyageur. Les voilà prêts à partir, quand arrive dare dare la calèche armoriée, envoyée à la rencontre des hôtes de distinction ; l'équipage arrête et il en dégringole un larbin qui, tout essoufflé, s'excuse de son retard. Le gentilhomme témoigne le désir de cheminer en profitant de l'obligeance de ce jeune paysan qu'il désigne au domestique. Celui-ci reconnaît l'uniforme pourtant peu saillant du pénitencier de Poulderbauge ; il sent toute l'horreur de la situation et, prenant à part les invités de son maître, il leur explique à quel cicerone ils allaient se confier.

Mine dégoûtée de la dame, confusion du monsieur, regards distants lancés au réprouvé qui faillit abuser de leur confiance et leur imposer la souillure de son voisinage. Sous ses airs de sainte nitouche, Dieu sait quel attentat le polisson mijotait, et ce qu'il aurait entrepris dès qu'ils se seraient trouvés loin des habitations ! Navrance du petiot frustré d'une occasion de prouver sa gentillesse et son urbanité. Navrance qui me gagne moi-même quand je lui entendis, au retour, le cœur tout gros, la gorge nouée, faire part à ses camarades de l'affront qui lui avait été infligé. D'aucuns se moquèrent. Cela lui apprendrait à cajoler les bourgeois ! Mais d'autres l'écoutèrent avec commisération et un air de solidarité qui me donna beaucoup à réfléchir. En somme, ce petit fait me confirme dans la bonne opinion que j'entretiens depuis si longtemps sur le fond de cette engeance rebutée. Ces cyniques sont des sensitives. Si l'on se donnait la peine de démêler leur véritable nature, on y percevrait des nuances d'une telle subtilité, des scrupules si inattendus, des réactions si raffinées qu'à côté d'eux les représentants de notre prétendue élite paraîtraient les butors et les goujats !...

Les détenus, dont Paridael a conquis la sympathie, travaillent et sont soumis. Aucun désordre ne se produit en sa présence.

Ce calme ne fait pas le compte de mes collègues. Rien ne rend clairvoyant comme la malveillance et quoique je ne leur offre aucune prise, ils doivent se douter en partie de ma position vis-à-vis des jeunes internés.

Les premières semaines, le directeur, un ancien capitaine de l'armée, à la fois un braque et un maniaque, routinier et têtu, ne jurant que par la discipline et les règlements, constatait avec un certain plaisir l'ordre que j'obtenais dans mes classes. Mes bons collègues ne tardèrent pas à me desservir auprès de lui et à me mettre en suspicion. L'un surtout, un certain Dobblard, le major ou surveillant de première classe, mon supérieur direct, le type du sous-officier nul, à demi-lettré, péroreur, bel esprit de cabaret, tranchant de tout.

La tête en as de pique, des cheveux plats, une forte moustache rousse, camard, des yeux en boule de loto, les pattes velues, bancroche, plus rébarbatif encore que les autres dans son uniforme pisseux : la première fois que je le vis il m'inspira une antipathie définitive. Je ne tardai pas à m'en faire un ennemi, n'étant point parvenu à dissimuler mon dégoût pour ses fanfaronnades, ses gueulées, sa fausse bonhomie, son étalage d'ordures, son composé de goujat et de pleutre, de cynique et de cafard. Sous des dehors paternes, il n'existe pas de tortionnaire plus ingénieux.

Il me hait, mais je ne laisse pas de lui imposer par

mon flegme et ma politesse ; je l'exaspère, mais je le tiens à distance. N'osant s'en prendre directement à moi, il me dénigre et, s'étant aperçu que je ménageais mes pupilles, pour m'atteindre il redouble de brimades et de brutalités à leur égard.

— Je les ferai crever ! ne cesse-t-il de répéter en lançant des regards menaçants.

Ah, le cœur me saigne à entendre les cris et les pleurs qui m'arrivent des cachots ; le bruit étouffé, la rumeur sourde et mate comme de ballots qui s'écroulent, tapage suggestif qui fait dire aux autres surveillants : « Bon, notre tapissier bat ses matelas ! » De là, ce sobriquet : le Tapissier.

Et je songe à ces épaules lacérées, à ces croupes mises à sang. Le hideux sourire, quand il retrousse ses manches, qu'il ôte sa tunique ou qu'il la remet, avec le soupir de soulagement du peinard qui a fini la corvée ! Il pousse la provocation jusqu'à se rajuster et se prélasser devant moi, en se pourléchant presque les lèvres, à la façon des félins momentanément assouvis. Il s'amuse aussi à me renvoyer les patients après l'exécution. Ils m'arrivent les yeux cernés et injectés, aphones à force d'avoir crié, et ils se traînent en se tâtant aux endroits endoloris.

Si j'ai pensé intervenir ! Eux-mêmes m'engagent à n'en rien faire. Ce serait infailliblement les vouer à plus de sévices, outre que je me ferais flanquer à la porte, car il a soin de toujours mettre le règlement de son côté : il ne dépasse point la mesure, il sait jusqu'à quel point il peut opérer ; d'ailleurs le directeur lui donne carte blanche.

Mes élèves me calment donc et, réciproquement, je les exhorte au stoïcisme. Toutefois, il y a des moments où je les vois changer de couleur : ils m'interrogent des yeux, battent des paupières, se mordent les lèvres, crissent des dents ; ils cillent d'inquiétante façon ; je les sens bouillir ; la même buée rouge passe devant nos yeux, le même tocsin bourdonne à nos oreilles. Un mot, un signe et ils se rueraient.

— Non, non, leur dis-je. Pas de ça ! Vous vous feriez fusiller ! Plus tard ! quand vous serez libres ! Et soyez plus malins alors que Bugutte et Dolf !...

Ayant conscience de ma sollicitude plus grande pour Warrè, c'est lui surtout que « cherche » ce Dobblard. Toutefois, il n'ose le molester et il se borne à l'accabler de corvées. S'il poussait les brutalités aussi loin qu'avec les autres, je ne répondrais plus de moi !

Hier, au moment de l'entrée dans ma classe, le Tapissier se présente de son air important et renfrogné :

— Où est le 118 (le numéro de Warrè), j'ai besoin de lui.

Et ayant avisé mon garçon dans la file, il l'aborde, le saisit par le bras, non sans le pincer, selon son habitude.

Cette fois je m'interpose :

— C'est l'heure de la leçon d'arithmétique. Le 118 restera avec nous.

— On demande un vidangeur pour transporter des tinettes. Ça le connaît.

— Pardon, je le retiens. Si l'équipe de la ferme ne suffit pas, réquisitionnez le peloton de corvée.

— Quand je vous dis que c'est le 118 qu'il me faut. Vas-tu t'amener, toi ? Allons... Houste !

— Reste ici, petit !

En me plaçant entre Dobblard et Warrè, je pousse même l'adolescent dans la classe. Il ne ferait pas bon pour le garde-chiourme de recourir à la force. Il s'en doute.

— Petit !... Petit !... chantonne-t-il, blême de colère rentrée. Ne dirait-on pas, ma parole, que Monsieur s'adresse à des chouchous de bonne famille qu'on élève à la brochette ?

La mine trigaude du drôle indiquait même l'envie d'expectorer des propos ignobles. Il a la gorge et le bec faits à cela. Mais la peur le retient et il se contente de remâcher ses ordures avec sa chique. Je ne devais pas avoir l'air des plus endurants et il me savait homme à lui faire rentrer ses insinuations dans la gorge. Puis, certain article du règlement porte : « toute parole déshonnête tenue par un surveillant devant les colons entraîne la privation d'un mois de traitement ».

La brute jugea donc prudent de filer doux et de se mettre en quête d'un autre gadouard.

Le soir, après le coucher des pensionnaires, se tient une réunion sous la présidence de M. Toussaint, le directeur. Les surveillants lui présentent leur rapport sur la journée et lui soumettent les punitions.

Les autres avaient lu leurs martyrologes respectifs. Mon tour arriva.

— Monsieur Laurent Paridael ? (mon supérieur et mes égaux me donnent du Monsieur long comme le bras).

— Néant, monsieur le Directeur.

— Néant ? Que voulez-vous dire ?

— Mon carnet est vierge de punitions.

— Comment ! Quand la journée d'hier a été particulièrement effervescente dans toutes les classes, la vôtre qui compte les plus fieffés garnements aurait fait exception ?... Pas possible !

— C'est pourtant comme j'ai l'honneur de vous le dire, monsieur le Directeur.

Le Toussaint pince une moue incrédule et désobligée. Un regard qu'il échange avec Dobblard ne m'échappe point. Toutefois, il passa outre pour le moment et l'on aborda d'autres sujets.

Mais, après la séance, il me retint quand les autres se furent retirés.

— Ah çà, Monsieur Paridael, ne seriez-vous pas trop bon ? N'oubliez-vous pas où vous vous trouvez? Tenez - vous les yeux bien ouverts et faites-vous preuve de suffisamment de vigilance et d'autorité ?... Voyons, là, entre nous, vous ne prétendrez pas que, dans une section de deux cents vauriens, il ne se soit pas produit de toute la journée un seul cas d'insubordination ou un autre manquement. Nous avons affaire à des natures vicieuses que les temps d'orage énervent tout particulièrement... N'avez-vous rien surpris ?... Pas de gestes, de chuchotements ?... Hum ! Hum !

Il se passa les doigts dans ses côtelettes taillées à l'anglaise et il baissa la voix :

— Savez-vous que votre prédécesseur découvrit un jour que les polissons s'arrangeaient pour manger dans la gamelle l'un de l'autre ?

— Manger dans la gamelle l'un de l'autre, Monsieur ! me récriai-je en gardant mon sérieux. Quelle indécence !

— N'est-ce pas ? Vous voyez donc de quoi ils sont capables ! Etes-vous sûr qu'ils ne correspondent point entre eux... Nos archives contiennent des liasses de lettres... Effroyables !... N'interceptez-vous pas le moindre billet ?

— Absolument rien, monsieur le Directeur.

— Vraiment ?

Après une pause, M. Toussaint reprit sur un ton sévère et dépité :

— Permettez-moi, Monsieur, de douter d'une conduite si irréprochable de la part de vos élèves. Ce serait à croire, ma parole, que nous ne nous trouvons plus dans un pénitencier, mais bien dans un pensionnat ordinaire. Pas une punition de toute la semaine ! Ouais ! De ce train nous pourrons bientôt fermer boutique et licencier notre monde... Voyez-vous les petits saints ! Comme ils parviennent à vous donner le change... Mais je les connais mieux, mon jeune ami. Fiez-vous à ma vieille expérience. Ils sont capables de tout. Aussi, je vous engage à redoubler de surveillance et de sévérité !

D'ailleurs, depuis qu'ils vous sont confiés, je leur trouve un air dispos, presque guilleret qui ne me dit rien qui vaille et qui détonne absolument dans le cadre de cette maison... Attention, monsieur Paridael, vos élèves se montrent trop gais ! Il n'est pas admissible que l'on se réjouisse à ce point dans un pénitencier.

Après un autre arrêt, ayant toussoté et tourmenté de nouveau ses favoris de maître d'hôtel :

— Il m'est revenu aussi, Monsieur..., c'est-à-dire j'ai eu l'occasion de constater moi-même que vous étiez trop familier avec cette graine de larrons...

Quoiqu'il se fût repris, je devinais d'où partait le coup :

— Trop familier, monsieur le Directeur ?

— Mais oui. Encore une fois, mettez-vous bien dans la tête que nous avons affaire à des malfaiteurs précoces, à des natures perverses, affligées déjà d'un casier judiciaire, à de véritables récidivistes, et, dans ces conditions, il importe de s'adresser à eux de façon à les rappeler à l'exacte conscience de leur situation.

Les désigner par leur nom, en admettant qu'ils en aient un, c'est déjà leur témoigner trop de condescendance ; il suffit de les désigner par leur numéro matricule. « Numéro un tel, ici ! Numéros vingt, vingt-quatre, attention ! Ou simplement : vingt... vingt-quatre... » Vous ne sauriez être trop laconique... A plus forte raison, Monsieur, vous m'obligerez, dorénavant, en ne caressant plus ces jeunes drôles d'une appellation familière telles que : mon garçon, mon petit, mon ami, mon enfant... Je passe cette manière de leur parler, tout au plus à l'aumônier, quand ils vont à confesse ou lorsqu'il lui arrive de les prendre à part pour les catéchiser. Mais en public, devant leurs camarades, jamais ! Vous m'entendez, Monsieur. Entretenez votre prestige ! Il s'agit de leur inspirer du respect et même de la crainte ! Pour peu qu'on les y encourage, ces pierrots viendraient bientôt vous manger dans la main. Ma parole, ils finiraient par vous prendre pour un des leurs !...

Brave Monsieur Toussaint, si je vous disais qu'ils me prennent depuis longtemps pour un des leurs !

M. Toussaint est enragé pêcheur à la ligne.

Les fossés et le bassin très poissonneux lui fournissent largement de quoi satisfaire sa passion.

La semaine dernière, par de merveilleuses journées automnales, il a fallu procéder au curage de ces pièces d'eau, opération indispensable que le pêcheur avait toujours remise par crainte de troubler ses intéressants cyprins.

Ce fut une partie de plaisir pour les colons chargés de ce travail. D'abord, à l'aide de rateaux et de gaffes ils extirpèrent les nénufars. Puis ils séparèrent des autres la partie du fossé à curer en premier lieu, par un batardeau établi au moyen de sacs remplis de terre calés entre deux cloisonnages et des piquets enfoncés dans le lit de l'étang. Ensuite, pour faire passer les eaux de l'autre côté du barrage, ils s'attelaient par équipes à une pompe à bras qu'ils manœuvraient en chantant afin de s'agaillardir et de mieux garder la mesure, et quand le niveau descendit assez bas, ils achevèrent le vidage en se servant d'écopes ; enfin, leurs outils rencontrant la fange, ils recoururent à leurs bêches.

Ils se tenaient, à vingt, pieds nus dans le lit du fossé, de l'eau jusqu'aux mollets. Le pantalon de coutil retroussé par-dessus les cuisses ; la vase leur faisait de longs bas noirs et les chemises mouillées collées à leurs torses en modelaient les pectoraux. Ils piochaient allégrement avec des rires et s'amusaient à envoyer les paquets de bourbe s'abattre sur les deux rives avec un bruit de fessées.

Dès la première pompée les poissons avaient émigré dans les eaux voisines, mais il en restait beaucoup, les plus grosses pièces, qui s'affolaient et sautelaient désespérément dans cette eau dérisoire. Anxieux pour ses chers poissons, M. Toussaint ordonna de les jeter dans le bief voisin.

La partie devenait de plus en plus amusante. Mes gaillards guettaient les poissons, les cueillaient à la pelle et, d'un coup sec, ils les lançaient par-dessus le batardeau, auprès du reste de leur tribu. Mais il fallait de l'œil, de l'adresse, et surtout de la dextérité. Neuf fois sur dix, la bestiole replongeait dans la boue.

Warrè qui se distinguait comme toujours a trouvé mieux. Il renonce à se servir de sa bêche.

— Assez pêché, c'est chasser qu'il faut ! Qui veut prendre le poisson à la course ?

Ses yeux scrutent la vase. Un bouillonnement révèle la présence d'un animal en détresse.

— Une carpe !... Et de taille ! Là ! Là !

En quelques enjambées, le petit se porte de ce côté. La bête embourbée détale et file tant bien que mal. Warrè la poursuit dans ses randonnées et ses zigzags : « Viens, ma commère... Viens, ma mignonne... Viens, gentil poisson... par ici ! »

Il la câline comme il appellerait des poussins et des canetons. Il barbote, ployé, la croupe en l'air, les mains trempées dans l'eau, presque à quatre pattes. A tout instant, il trébuche et menace de s'étaler dans la crasse. Un cri de triomphe. « Je la tiens ! » Il ramène, en effet, sa proie à lui.

Pour mieux s'en assurer, il la presse contre sa blouse qu'elle nacre de viscosités. Elle se débat si fort et il s'esclaffe tellement, qu'elle lui glisse entre les doigts au grand ébaudissement des camarades.

C'est à recommencer. Courage ! Il lui a fallu s'y reprendre à quatre fois avant de s'en emparer pour de bon.

Je ne me lassais pas de suivre ses attitudes sculpturales. Uu moment, une énorme anguille au poing, il me suggéra quelque jeune jongleur de l'Inde, surtout que le soleil couchant brunissait encore son teint hâlé.

J'oublie l'endroit où je me trouve ; l'allégresse a même gagné le Directeur et son entourage de geôliers.

Un seul résiste au charme de cette adorable suite de gestes athlétiques : Dobblard.

Ne voyant plus de poisson, Warrè se résigne à reprendre sa bêche. Comme il projette une pelletée de margouillis vers la berme, il plaque cet odoriférant tourteau sur la poitrine du Tapissier. Tout le monde rit. Warrè s'enhardit à partager cette hilarité.

« Je l'ai fait exprès ! » me confiait-il le lendemain. Quel atroce regard lui avait lancé le garde-chiourme !

Dobblard ne tarde pas à trouver sa vengeance. Tandis qu'il martyrise le jeune détenu, Paridael survient et assomme à demi le tortionnaire. Apprenant que leur ami a été arrêté, les prisonniers se mutinent, mais leur révolte est réprimée sans pitié. Warrè est tué au moment où, avec d'autres, il essayait de forcer les rangs des soldats appelés à l'aide. Démis de ses fonctions et chassé, Laurent ne sait où porter sa rancœur et sa peine.

PAGES RETROUVÉES [1]

Mon Faubourg

Voilà plus de trente-cinq ans que j'habite Schaerbeek, cet ancien village devenu en moins d'un demi-siècle la cinquième commune, je dirai même la cinquième ville de la Belgique. Il m'aura donc été donné d'assister à la période la plus active de sa métamorphose. Je m'évoque bien souvent, non sans un léger sentiment de regret et de mélancolie, mon Schaerbeek d'autrefois. Sentiment bien naturel puisque les souvenirs de ma propre jeunesse se rattachent au passé rustique et naïf, aux aspects primitifs de la vaste cité d'à présent. Je revois la petite maison de la rue Van de Weyere où viennent souvent me relancer Camille Lemonnier et mes frères d'armes littéraires Hannon, Verhaeren, Waller, Georges Rodenbach, Giraud, Gilkin, Nautet, Maubel, Van Arenbergh, Bouez. Des artistes se joignent à ces écrivains, entre autres Xavier Mellery et Constantin Meunier qui fume sa pipe, à mes côtés, au coin du feu. Je reçois aussi des Parisiens, tantôt Léon Cladel, tantôt Catulle Mendès que je fais déjeuner avec Giraud et Gilkin. Plus tard, quand j'aurai transporté mes pénates dans la rue du Progrès, au cercle des premiers commensaux de mon *home* schaerbeekois se joindront Demolder qui sera

---

(1) Sous ce titre, nous réunissons quelques-uns des articles que Georges Eekhoud a fait paraître dans le journal anversois *La Comédie*, du 2 août 1919 au 14 février 1920.

venu m'y lire les épreuves de sa *Route d'Emeraude* et de ses *Patins de la Reine de Hollande*, — Delattre, Stiernet, Pierron ; les peintres Gilsoul, Laermans, Jacob Smits, Paul Matthieu, Maurice Blieck ; des amis de Paris : André Gide, Dumur, Bazalgette, Virgile Josz, Montfort, Jean de Gourmond, etc. Ce sont encore des musiciens : Peter Benoit que je menai un jour revoir du côté d'Helmet le théâtre d'une de ses idylles amoureuses au temps où il suivait les cours de Fétis au Conservatoire de Bruxelles, — Huberti, ce disciple wallon du grand maître flamand ; Joseph Dupont, le regretté conducteur de nos fastes symphoniques. Ceux qu'on appelle les *Jeune Belgique* me soumettent leurs vers ou m'aident à revoir mes proses. Le délicieux Henry Maubel nous offrit, chez moi, la première de son *Etude de Jeune Fille*, « monographie scénique » représentée en matinée le 6 décembre 1891 au Théâtre Molière, sous la direction Alhaiza. C'est aussi chez moi et devant mes amis de la *Jeune Belgique* que Jan Blockx nous régale, en l'exécutant lui-même au piano, de la primeur de son ballet *Milenka* qui fit florès au Théâtre de la Monnaie. Un peu plus tard, c'est le compositeur Lanciani, un Italien tout à fait « bruxellois », si l'on peut dire, qui nous fait entendre son *Pierrot Macabre*, autre ballet, tandis que le poète Théo Hannon, l'auteur du scénario, nous résume celui-ci avec un esprit endiablé, — nous en esquisse la pantomime et va même jusqu'à nous en danser des passages !

C'est de ma maisonnette de la rue Van de Weyere que, par un inoubliable matin printanier, Constantin Meunier qui est venu nous prendre avec Camille Lemonnier et Max Sulzberger, le critique d'art aussi emballé que les artistes, — un critique comme on n'en rencontre plus — nous mènera par les pittoresques campagnes que traverse et domine la chaussée de Haecht, jusqu'au si caractéristique village de Dieghem, au pied même de ce clocher à étages qu'on dirait détaché de quelque pagode, dans une ferme où nous attend un plantureux repas de midi composé des dépouilles aussi succulentes que variées d'un cochon gras immolé en notre honneur. Notre amphitryon, un simple cultivateur, s'est emballé pour les Beaux-Arts et surtout pour la peinture de Meunier qui va souvent planter ses chevalets dans ces campagnes. Notre villageois s'est mis à « paysager », lui aussi, et Meunier, qui n'est pas encore le célèbre sculpteur, lui donne des conseils, sinon des leçons. L'après-midi, toujours par le plus radieux des soleils et toujours pédestrement, nous poussons jusqu'à Saventhem pour y faire nos dévotions devant le *Saint Martin* de Van Dyck.

Ce fut une journée folle, véritablement dionysiaque, durant laquelle Lemonnier, exubérant comme à son ordinaire, ne s'arrêta point de clamer sa joie de vivre dans nos plantureuses campagnes brabançonnes. Aussi le retour à Schaerbeek prit-il les proportions d'une apothéose...

A cette époque, entre 1880 et 1890, les écrivains de la *Jeune Belgique,* je dirais presque du Jeune Schaerbeek, se retrouvaient le soir, après leur réunion de l'apéritif au *Café Sésino,* dans tel café de la rue Royale extérieure ou de la place Liedts. *Au Progrès,* chez le notable Joseph Chevalier, la forte tête politique de l'endroit, les écrivains de langue flamande voisinaient avec ceux de langue française. Là, trône, préside et pérore, non sans rythmer ses discours de formidables coups de poing sur... la table, le barde Emmanuel Hiel que nous appelons le Patriarche ou le Prophète à cause de son aspect décoratif, à la fois majestueux et affable, et de sa parole inspirée, tonitruante, colorée comme les versets de la Bible. A ses côtés, animés par une conviction non moins ardente et quelque peu, aussi, par de copieuses guindailles, on remarque Raymond Stijns, dit « Seppe den Beer », le vigoureux romancier naturaliste de *Ruwe Liefde* et de *In de Ton*, le précurseur de Cyriel Buysse, — puis Isidore Teirlinck, le conteur non moins talentueux qui collabora souvent avec Stijns, leurs deux noms Teirlinckx-Stijns figurant sur *Arm Vlaanderen*, un des meilleurs romans flamands de cette période ; — plus loin s'agite le jeune Nestor De Tière, blondin à la chevelure absalonnienne qui vient de débuter brillamment comme auteur dramatique et que le public du Théâtre flamand adopta d'emblée pour son grand favori. Tout près de ces « moedertaaliens », les écrivains de langue française, à peine, plus discrets et moins tonitruants, se livrent, eux aussi, à des joutes oratoires et à des tournois d'esprit arrosés de confraternelles rasades. Ce sont Albert Giraud, Ivan Gilkin, Georges Kaiser, Eddy Levis, bien d'autres encore, en majeure partie Schaerbeekois. Ceux qui habitent à l'autre extrémité du Grand Bruxelles sont venus échouer au cœur de notre faubourg, entraînés par leurs camarades d'ici.

Plus d'une fois s'opère la fusion des langues et des races. Les tablées se rapprochent de manière à n'en former plus qu'une. On fraternise en trinquant, les verres tintinnabulent. C'est une trêve courtoise, quelque chose comme la visite des Troyens au camp des Grecs, dans le *Troïlus et Cressida* de Shakespeare. Poètes des deux clans se complimentent et se louangent bien sincèrement. On chante, on se récite des vers. La Poésie confond tous ses adeptes en une famille et quel que soit leur idiome préféré. Nos écrivains belges des deux races communient sous les communes espèces de l'Art et de la Beauté. Ces veillées lyriques se prolongent souvent jusqu'au matin alors que professionnellement affairé, intrépide entre tous ces noctambules, quelque journaliste, théâtreux ou reporter, ayant réquisitionné depuis des heures toutes les cartes postales, tout le papier à lettres et tous les timbres de l'établissement, se résignera enfin à regagner ses lares ; et le jour se sera levé avant qu'il soit parvenu, lui, à mettre sa correspondance à jour...

. . . .

Oui, ce Schaerbeek d'il y a trente ans représentait un vrai centre d'activité littéraire et artistique, et cela en dépit de la physionomie encore bien paisible, mi-provinciale et mi-champêtre, de sa vaste agglomération. C'était alors, quant au décor, en majeure partie une grosse bourgade de maraîchers et de petits cultivateurs. En fait de rues franchement urbaines il n'y avait que celles des environs de la gare du Nord et de la place Liedts. Non loin de cette place régnaient encore de verdoyantes cultures. Les pâtés de maisons s'espaçaient de plus en plus, à mesure qu'on s'éloignait de la nouvelle église Saint-Servais. Il n'était pas encore question de démolir l'ancienne église placée sous ce vocable, une véritable églisette de village dont les abords préservèrent longtemps la même rusticité.

Sainte-Marie n'était qu'en voie de construction, mais en attendant l'achèvement de cette basilique romane nous admirions beaucoup le style de ses... échafaudages monumentaux, toute une forêt de poutres et de madriers dont l'enchevêtrement figurait assez bien une gigantesque toile d'araignée dans laquelle, par les nuits claires, il semblait, à en croire le poète Albert Giraud, que se fût empêtré le disque de la pleine lune.

Chaussée de Haecht, au sortir de la rue Van de Weyere, subsista, bien des années, un estaminet auquel trois jolis tilleuls servaient d'enseigne champêtre. Au delà s'étendait la zone excentrique, toutes venelles d'un cachet éminemment local, bien spécifiques du Schaerbeek d'alors, telles qu'on ne les connaît plus que par les tableaux de Jules Merckaert qui aura fait pour notre faubourg primitif ce que Van Moer réalisa naguère pour le Bruxelles d'avant l'assainissement de la Senne. Les sentes du Quartier de Montplaisir, dévalant vers le chemin de fer d'Anvers et les remblais du canal de Willebroeck, ont échangé leurs noms suggestifs : du Lion, du Dahlia, de l'Agriculture, contre ceux peut-être moins populaires quoique plus sonores de nos principaux poètes et romanciers. Du moins certains de ces écrivains auront vécu le plus long et le meilleur de leur vie à Schaerbeek. J'en connais un qui de longue date explora ces parages, qui les a hantés quand ils se confondaient avec les campagnes d'alentour, et je ne m'avancerais pas trop en proclamant que nul Schaerbeekois ne leur aura gardé pareille ferveur, ne les aura affectionnés avec autant de nostalgie !

Cet écrivain aura connu et pratiqué avec non moins de dévotion cette célèbre Vallée de Josaphat que peignirent tant d'artistes à commencer par Hippolyte Boulenger, le chef de l'école de Tervueren, ce vallon si riant, si pastoral, si reposant, avec son château des Fleurs, sa Fontaine d'Amour et son *minnenborrenweg*. Ah ! le site élyséen ! Il était bien de ces endroits terrestres que Gustave Flaubert disait si beaux qu'on voudrait les serrer contre son cœur, de ces paysages enchanteurs qui font sur notre âme le même effet qu'un archet bien manié sur un violon sonore ! Oui, en cette vallée de Josaphat de chez nous, nous aurions attendu en toute confiance avec la sérénité du Juste le jour suprême de la fin du monde et du Jugement Dernier.

Lorsqu'il m'arrive de songer à ce Schaerbeek aboli, je l'incarne en une forte et sanguine maraîchère, fruste mais cordiale, un beau brin de fille capable de tenir tête à des lurons trop entreprenants. Pas bégueule cependant, cette enfant de la nature ne boudera pas plus à la fête qu'au travail, et elle prendra sa part des kermesses chères à tout terroir flamand. Assise sur un fringant baudet, entre deux paniers de cerises — des cerises du cru, naturellement, — ce sont aussi des cerises, moins vermeilles toutefois que ses lèvres, qu'elle accroche, comme dans un joli tableau de Joors, en guise de pendants à ses menues oreilles ourlées de corail.

Le faubourg de laitiers et de cultivateurs attira, depuis le début du siècle dernier, de nombreux artistes et gens de lettres qui y vivaient suffisamment proches, quoique un peu à l'écart, de la turbulente capitale.

Après les Gallait, les Verboeckhoven, les Geefs, les De Groux, on y aura vu les Meunier, les Verwée, les Verhas, les Stobbaerts, les Plasky, et en ces derniers temps les Frédéric, les Devreeze, les Merckaert. Les gens de lettres n'y résident pas moins nombreux, qu'ils écrivent le flamand ou le français.

Henri Conscience y retrouverait encore quelques-uns de ses modèles préférés, quelques descendants de Jean et Marie Blondeel, ces dignes Schaerbeekois, artistes, lettrés, bibliophiles, épris de musique et de fleurs, qu'il oppose à ses sordides *Bourgeois de Darlingen* dans le roman de ce nom. Le grand bonhomme venait d'ailleurs souvent à Schaerbeek et je me rappelle certain souper démocratique que lui offrirent, à la veille de son jubilé de 1881, des rapins et des gens de lettres, en herbe, dans les caveaux de la *Ville de Turin,* un estaminet dont le « baas » s'appelait Polinus, presque le nom du père d'Ophélie...

C'est à Schaerbeek que vécurent ou que vivent les poètes Charles Van Lerberghe et Albert Giraud, les romanciers Emile Greyson, Louis Delattre, Hubert Krains, Stiernet, Courouble, Joseph Chot et, du côté des prosateurs et bardes flamands, Sleeckx, Coopman, Hiel, Gyssels, Moruanx, De Geest, bien d'autres encore.

Mon faubourg n'est-il pas le berceau des frères Rosny, ou pour leur donner leur véritable nom, les frères Boex, les admirables romanciers, membres de l'Académie Goncourt ? Quoiqu'ils se soient déracinés dès leur plus tendre jeunesse, ils n'en ont pas moins gardé, dans leur œuvre puissante et vigoureusement colorée, les vertus de leur sol natal, la sève et le sang de leur race.

Et ne rappelait-on pas récemment que Paul Deschanel, actuellement président de la Chambre des députés de France, naquit à Schaerbeek en 1856, dans une maison de la rue de Brabant ? Il est le fils d'Emile Deschanel, ce proscrit de l'Empire qui apprécia et aima nos grands méconnus, Charles De Coster et André Van Hasselt, qui écrivit même la préface des *Légendes flamandes* de l'un et fit connaître les *Primevères* de l'autre aux bourgeois archi-béotiens du Cercle soi-disant artistique et littéraire du Bruxelles d'alors.

A cette époque Schaerbeek était encore célèbre par ses gentils petits baudets, coquettement attelés à d'innombrables charrettes maraîchères. La malice et peut-être l'envie des communes rivales affectèrent de confondre toute la population du florissant faubourg avec Maître Aliboron, qui est d'ailleurs une bête stoïcienne et, quoi qu'on en dise, extrêmement intelligente, de l'avis des naturalistes et même des poètes, depuis Apulée jusqu'à notre Albert Giraud.

Dans *L'Ane d'or*, Lucius, un poète, métamorphosé en rossignol d'Arcadie pour avoir été trop curieux, est enfin rendu à son essence et à sa forme première par les soins de la secourable Isis. De nos jours il y a si peu de baudets à Schaerbeek, et en revanche artistes, écrivains, intellectuels de toute sorte y provignent tellement que, contrairement à ce qui se passe dans le chef-d'œuvre d'Apulée, il faut croire que c'est la frugale et philosophique confrérie des mangeurs de chardons qui y aura été métamorphosée en favoris des Muses.

Le Bruxelles d'antan

Oh ! ce Bruxelles d'antan, l'aurai-je assez aimé, scruté, fouillé, étudié et pratiqué dans ses moindres recoins ! Ne lui ai-je pas tâté le pouls et compté les battements de son cœur ? Et comme j'appréciais ceux qui l'aimaient autant que je me l'assimilais moi-même, jaloux de ses spécifismes, de la moindre nuance de sa couleur locale, de ses ombres comme de ses clartés! Que de morts déjà à la suite de ses aspects abolis !

. . . .

Une des curiosités bien spéciales au Bruxelles d'alors et qui tend à disparaître peu à peu consistait dans ces vastes salles d'estaminet reléguées au fond d'une impasse ou d'un long cul-de-sac. C'étaient ou ce sont encore le *Coffy*, rue de la Colline, déjà célèbre en 1830 et même, à en croire *Vertus Bourgeoises*, le roman de M. Carton de Wiart, au temps de la Révolution brabançonne ; — le *Duc Jean*, les *Trois Perdrix*, la *Bécasse*, *A Barcelone*, ces deux derniers fréquentés surtout par nos étudiants qui s'y livraient à de pantagruéliques guindailles, le *Messager de Louvain*, avec ses sept billards, luxe inouï pour l'époque, où avant d'aller danser aux *Brigittines*, l'hiver, et au *Tivoli* de Laeken, l'été, les élèves de l'Ecole militaire, alors sise rue de Namur, et commandée par le général Liagre, se provoquaient en de formidables parties de caramboles. C'était, au marché aux Herbes, le restaurant de l'*Eperon* où dînaient régulièrement nombre d'artistes et où je m'attablai plus d'une fois en compagnie de Joseph Dupont, d'Henri

Conscience, de Jules Hoste. Celui-ci m'y invita un soir avec Catherine Beersmans, la célèbre tragédienne flamande.

Nombre de « Bons Coins », de « boîtes » délectables et quasi historiques ont disparu ou se sont modernisés au grand dam de la couleur locale. C'est notamment le cas pour le *Saint-Pierre*, dans la rue de ce nom, qui tint tout un temps le monopole du « gueuze-lambic », à une époque où cette cervoise venait pour ainsi dire d'être inventée, et où devant des tables en bois blanc, récurées jusqu'à en paraître constamment neuves, se réunissaient des personnalités comme l'horticulteur Gillekens, le pédagogue Alex. Sluys, le poète Emmanuel Hiel, le peintre Louis Titz, Ernest Nijs, le réputé juriste et docteur en droit international.

Certain après-midi, en ce bon vieil estaminet, rien moins que boulevardier et mondain, le poète parisien Gustave Kahn, qui fut longtemps des nôtres, vint nous relancer Fernand Brouez, le directeur de l'admirable *Société Nouvelle* et moi, avec l'un des plus originaux poètes de toutes les littératures : Paul Verlaine. Pauvre Lélian, comme il s'appelait lui-même de l'anagramme de son nom, engagé pour une tournée de conférences en Belgique et en Hollande, fit sensation et même scandale en ce sanctuaire exclusivement consacré au culte de Gambrinus, lorsqu'il s'avisa d'y poursuivre ses libations en l'honneur de la Fée Verte. Le « baas » feignit de se prêter à cet anachronisme presque sacrilège et ne débitant aucun breuvage ressemblant à de l'absinthe, il s'en fut quérir dans le voisinage je ne sais quelle infâme mixture qu'à notre profonde stupeur et en dépit de Gustave

Kahn qui tentait de l'en dissuader, l'auteur des *Fêtes Galantes* avala sans sourciller comme il l'eût fait d'un authentique Pernod.

⁂

Pour l'observateur le mouvement et la figuration dans nos rues ont changé presque autant que les lignes, la couleur et la plantation du décor. Il semble que la gravité des événements contre laquelle on ne parvient pas encore à réagir ait tempéré jusqu'à notre goût parfois désordonné des tons tapageurs et ait mis une sourdine à notre volupté visuelle. Il n'est pas jusqu'à la métamorphose de nos soldats revenus du front qui ne contribue à amortir la couleur de notre population. Qu'est devenu le plaisant bariolage de nos uniformes, ces bleus, ces gris clairs, ces torsades et ces brandebourgs blancs ou orangés, ces verts des dolmans, ce rouge des lasalles, toutes rutilances qui rehaussaient de leur bravoure la grisaille ou l'ocre pâle de nos rues et piquaient des notes éclatantes comme celles d'une fanfare dans le déferlement monochrome des cohues dominicales.

Ces tenues s'accordaient à l'imprévu et à la provocation des affiches et des enseignes. Sur les marchés, les champs de foires, les parvis et les terre-pleins devant les gares, elles faisaient un peu l'effet de dahlias, de pivoines et d'autres floraisons franchement épanouies au milieu d'une pelouse, et on en arrivait à associer l'étoffe rougeoyante aux jambes de nos guerriers, au cramoisi des ballonnets de baudruche balancés par-dessus le moutonnement des foules. Gageons que les nounous et les bonniches, compagnes obligées des tourlourous, n'auront pas été médiocrement défrisées à retrouver nos héros uniformément vêtus d'un kaki taillé, dirait-on, dans la bure des pénitents. Papillons papillotants semblaient retournés en leur maussade chrysalide !

. . . .

Dans le recul de ces trente à quarante dernières années ce Bruxelles bon enfant, dont nombre de soi-disant intellectuels d'aujourd'hui, aussi prétentieux que blasés, gens de lettres amorphes pour ne pas dire morveux, affectaient aux approches de la Guerre de se gausser avec des moues de supériorité dans leurs revuettes fausses-couches et leurs cénacles mort-nés, — ce Bruxelles encore patriarcal revêt un caractère regrettable, intensément sympathique.

On pourrait appliquer à cette époque d'entre 1880 et 1910 de la vie bruxelloise le mot célèbre de Talleyrand sur les années qui précédèrent la Révolution française : « Qui n'a pas vécu en ces années n'aura pas connu la douceur de vivre », à condition, toutefois, de changer « douceur de vivre » en « joie de vivre », car cette vie expansive jusqu'à l'exubérance manquait en général, sauf chez une élite dont je m'occuperai plus loin, d'un peu de douceur, de délicatesse, de cette spirituelle élégance des dernières fêtes de l'Ancien régime. Nos milieux les plus raffinés n'avaient rien des soupers et salons évoqués dans la correspondance des Voltaire, Diderot, Champfort, Rivarol, sans oublier celle de notre Prince de Ligne.

Mais néanmoins les deux dernières décades du XIXe siècle et le premier lustre de ce siècle-ci, représenteront peut-être, en dépit de leur matérialisme un peu gros, l'apogée de notre existence prospère et cordiale. Les hommes les plus graves sacrifiaient à cette sensualité. Ainsi, en une nuit de bal, un jurisconsulte et avocat éminent comme Edmond Picard, joua le rôle d'un Pâris en faisant partie d'un jury chargé de décerner le prix de Beauté à l'une de nos déesses de Carnaval. Une autre fois le maître-prosateur de *La Forge Roussel* et de *L'Amiral* concourut, non pas pour l'obtention d'un prix quinquennal de littérature, mais pour la confection du meilleur pâté de Bruxelles. Ainsi dans les *Bacchantes* d'Euripide le devin Tirésias donne une leçon de sagesse au morose Panthée en sacrifiant au tout-puissant Dionysos...

Oui, ces temps que leur contraste avec le présent ferait paraître lointains et comme légendaires furent ceux où la Capoue brabançonne, capitale de la Cocagne belge, aura trouvé son expression la plus synthétique et la plus représentative. Comme je l'ai déjà fait entendre, l'Art même un peu rude mais vigoureux et spontané, semblait entrer dans les besoins de la population. Par sa plastique et ses instincts le peuple prévenait et servait les aspirations de ses interprètes. La bourgeoisie faisait preuve de bonne volonté sinon d'un goût bien délicat dans le programme de ses déduits. Et par-dessus les masses turbulentes et primesautières, gourmandes plutôt que friandes d'esthétique, ne parvenant à se rassasier que dans de copieux et brillants spectacles, tout au plus dans l'exécution en plein air de fresques symphoniques, cantates ou oratorios, grandioses et touffus, comme des cavalcades, que lui dédiait le génie d'un Peter Benoit, il se forma, encouragés ou stimulés par des annonciateurs tels que ce grand maître et tels aussi que les Gevaert et les Dupont, les De Coster et les Gezelle, les Stobbaerts et les Verwée, les Lambeaux et les Meunier, des groupements — Essor, Vingtistes, Jeune Belgique, « Van Nu en Straks » — d'où surgirent de conquérantes individualités et toute une floraison de chefs-d'œuvre à la fois nationaux et universels.

. . . .

Les commerçants, la classe moyenne du Bruxelles d'alors, tous notables sinon du Bas du moins du cœur de la ville, depuis la Montagne de la Cour jusqu'au Marché Sainte-Catherine, riverains des Boulevards du Centre et des Galeries Saint-Hubert, revivront pour jamais dans l'adorable série des Kaekebrouck de Léopold Courouble, des ouvrages qu'on lisait avec un peu de dédain pour les patoisants personnages mis en scène par le romancier, et qu'on relit aujourd'hui non sans attendrissement et non sans une sympathie tenant de la solidarité. Les convives du Royal Waterzoo aussi se recrutaient plutôt rue de l'Ecuyer que rue Royale et plutôt parmi les membres de la Grande Harmonie que chez ceux du Cercle Artistique, rendez-vous de fonctionnaires et de rentiers, formalistes et formulards, engeance plus guindée, plus snob, plus à l'étiquette qu'à la bonne franquette. Les bons vivants du Waterzoo, Bruxellois renforcés, négociants calés et très actifs, mais dilettanti très avertis, et même, pour la plupart, abonnés de notre Opéra, se distinguent d'une caste hybride alors en voie de formation : celle des noceurs, fêtards et noctambules quasi professionnels, familiers des coulisses de théâtres ou des coulisses de la Bourse, population bâtarde et aventurière, à cent lieues des Kaekebrouck et même des Beulemans, ces autres braves autochtones portraits par MM. Fonson et Wicheler. Le monde excentrique et faisandé qui commençait à sévir aux approches de la guerre, et qui pullule ou plutôt purule depuis ces événements susciteurs de la pire décomposition sociale, s'annonce dans une couple de romans satiriques de M. George Garnir : la *Boule Plate* et le *Conservateur de la Tour Noire*, et aussi, en y ajoutant spécialement les parasites des théâtres et des arts, la turbe des gendelettres, des intrigants, des faiseurs et des arrivistes de tout genre, dans ce livre amer, mais très juste et très vivant : *Le Calvaire du Bonheur* de M. Lucien Solvay.

Mais aux années dont nous nous occupons, ces milieux antipathiques, cette atmosphère de lucre, de bluff, d'égoïsme féroce ou de veule débauche, représente l'exception, et, je le répète, ni le vrai monde des arts, ni celui des lettres, ni même celui des affaires, ne recèlent ces préoccupations sordides, ce muflisme, cette rosserie qui commençaient à nous gâter notre capitale une dizaine d'années avant le cataclysme de 1914.

Il n'est pas jusqu'à la politique électorale qui ne revête en ces années heureuses un caractère moins cynique ou du moins plus courtois, moins porté à des manœuvres de cambrioleurs du pouvoir. Lorsqu'on se reporte à ces temps, les séditions même accompagnant les veilles et parfois les lendemains de scrutins, nous apparaissent comme d'énormes mascarades que nous nous refuserions à prendre au sérieux et qui fourniraient plutôt le sujet de poèmes burlesques dans le goût du *Lutrin* que celui d'épopées dignes de l'Iliade. Même les plus mouvementées de ces émeutes auront à peine vu couleur de sang. Révolutions pour rire où, tout en enflant la voix, nos parlementaires ne parviennent pas à en imposer et à se faire prendre au tragique ! Telle journée d'effervescence historique, comme celle de certain 7 septembre, laissera plutôt le souvenir d'une vaste brimade organisée par une bande de gavroches aux dépens des villageois et où la statistique des victimes enregistra plus de grosses caisses éventrées, de drapeaux lacérés, de trombones bossués que de crânes pourfendus, de panses trouées ou même d'ecchymoses, de meurtrissures, de contusions et d'yeux pochés.

. . . .

Mais la jeunesse de cette époque se désintéressait en majeure partie des mesquineries et des chassés-croisés de la politique. Elle n'était non plus vouée aussi brutalement et exclusivement qu'à l'heure présente à la pratique des sports. Comme nous l'avons vu, un souci d'art intervenait jusque dans les récréations de la foule. Et il n'y avait pas que l'art décoratif, l'art de plein air : cortèges, restitutions passagères de nos cités médiévales avec leurs coutumes et costumes ; spectacles ou concerts s'adressant aux masses; fêtes de folklore ou d'esthétique populaire auxquelles présidait la déesse Théoria ; il y avait aussi une vie artistique plus raffinée, aux manifestations moins exubérantes, plus intimes et plus profondes.

C'est l'époque des admirables concerts du Conservatoire sous la direction de F.A. Gevaert, avec un orchestre de maîtres et un public où les invités l'emportent sur les badauds. Il suffit de parcourir les annuaires de cet établissement, entre les années 1880 et 1900, pour se rendre compte de l'émulation et de la ferveur qui y règnent. Ce sont des séances modèles, religieuses à l'égal des offices, consacrées à Bach, à Gluck, à Beethoven, et plus tard, après sa mort, à Wagner (*L'Or du Rhin*).

. . . .

La vie n'est pas moins intense chez nos peintres et sculpteurs. Meunier va devenir le sublime sculpteur du Travail et Lambeaux, le glorificateur éperdu de la Joie charnelle. Les Verwée, les Stobbaerts, les Mellery, les De Braekeleer, les Rops, les Stevens atteignent à l'apogée de leur puissance créatrice et de leur maîtrise. Les jeunes artistes fonderont *L'Essor*, groupement d'où sortirent quantité de nos plus beaux peintres contemporains et d'où s'essaimèrent notamment, sous le vocable des *Vingt* et, plus tard, de la *Libre Esthétique*, les Frédéric, les Van Rysselberghe, les De Groux, les Van Strydonck, les Khnopff. Les générations suivantes créeront le *Voorwaerts*, *Pour l'Art*, le *Sillon*, le *Labeur*, autant de pépinières généreuses auxquelles nous devrons les Laermans, les Gilsoul, les Matthieu, les Blieck, les Langaskens, les Wagemans, les Smeers.

Certes, cette luxuriante floraison est admirable, mais elle ne représente en somme que la continuation de la vie intense qui régna de tout temps en Belgique dans le domaine musical et surtout dans celui des Arts plastiques.

La renaissance ou plutôt la naissance d'une littérature française en un pays réputé réfractaire aux beaux vers autant qu'à la belle prose, représentait un phénomène bien autrement remarquable. Aussi est-ce avec raison que M. Thiry a intitulé un livre qui s'occupe de cet événement : *La miraculeuse Aventure des Jeune Belgique*.

Principales œuvres de Georges Eekhoud

Myrtes et Cyprès. Librairie des Bibliophiles. Paris, 1877.

Zigzags poétiques. Librairie des Bibliophiles. Paris, 1877.

Les Pittoresques. Librairie des Bibliophiles. Paris, 1879.

Henri Conscience. Lebègue et Cie. Bruxelles, 1881.

Kees Doorik. Lucien Hochsteyn. Bruxelles, 1883 et Henry Kistemaeckers. Bruxelles, 1886.

Kermesses. H. Kistemaeckers. Bruxelles, 1884.

Les Milices de Saint-François. Veuve Monnom. Bruxelles, 1886. Réédité sous le titre : *La Faneuse d'Amour*. Mercure de France. Paris, 1900.

Nouvelles Kermesses. Vve Monnom. Bruxelles, 1887.

La Nouvelle Carthage. H. Kistemaeckers. Bruxelles, 1888. Edition définitive : Paul Lacomblez. Bruxelles, 1893.

Le Cycle Patibulaire. H. Kistemaeckers. Bruxelles, 1892.

Au Siècle de Shakespeare. P. Lacomblez. Bruxelles, 1893.

Mes Communions. H. Kistemaeckers. Bruxelles, 1894.

Escal Vigor. Mercure de France. Paris, 1899.

L'Autre Vue. Mercure de France. Paris, 1904. Réédité sous le titre : *Voyous de Velours*. Renaissance du Livre. Bruxelles, 1926.

Les Peintres Animaliers belges. Van Oest. Bruxelles, 1911.

Les Libertins d'Anvers. Mercure de France. Paris, 1912.

Dernières Kermesses. Editions de la Soupente. Bruxelles, 1920.

Le Terroir incarné. Editions de la Renaissance d'Occident. Bruxelles, 1922.

Magrice en Flandre ou le Buisson des Mendiants. Renaissance du Livre. Bruxelles, 1928.

Proses plastiques. Renaissance du Livre. Bruxelles, 1929.

Principales études sur Georges Eekhoud

Outre les ouvrages généraux sur l'histoire des lettres françaises de Belgique (ceux de Fr. Nautet, Chot et Dethier, Liebrecht et Rency, M. Gauchez, G. Doutrepont, G. Charlier, etc.), on peut consulter :

— Camille Lemonnier : *Paroles pour G. E.* P. Lacomblez, Bruxelles, 1893.

— Remy de Gourmont : *Le Livre des Masques,* première série. Mercure de France. Paris, 1896.

— Maurice Gauchez : *Le Livre des Masques belges.* La Société Nouvelle. Mons, 1910.

— Maurice Wilmotte : *La Culture française en Belgique.* Champion. Paris, 1912.

— Maurice Bladel : *L'Œuvre de G. E.* La Renaissance d'Occident. Bruxelles, 1922.

— *Le Thyrse,* 12 juin 1927. Numéro spécial consacré à la mémoire de G. E.

— Georges Virrès : *Discours de réception à l'Académie Royale de Langue et de Littérature françaises.* Bulletin de l'Académie, tome VII, n° 3, mars 1929.

— Hubert Krains : *Portraits d'Ecrivains belges.* Georges Thone. Liège, 1930.

— B.M. Woodbridge : *Le Roman belge contemporain.* La Renaissance du Livre. Bruxelles, 1930.

— Gustave Vanwelkenhuyzen : *L'Influence du Naturalisme français en Belgique*. La Renaissance du Livre. Bruxelles, 1930.

— George W. Black : *Bibliographie de G.E.* Boston, 1931.

— Gustave Vanwelkenhuyzen : *Les Débuts littéraires de G. E.* Bulletin de l'Académie de Langue et de Littérature françaises, tome XIII, déc. 1934.

Table des Matières

Tous ces ouvrages, aux Editions de la Renaissance du Livre,
Bruxelles
